JN049126

スズ・シアター・ミュージアム「光の方舟」

はじめに

　2021年9月4日、「奥能登国際芸術祭2020＋」の開幕に合わせて、スズ・シアター・ミュージアム「光の方舟」がオープンしました。これは石川県珠洲市大谷地区の旧西部小学校体育館を改修、再活用した施設で、市内で収集した民具を保存・調査・展示する博物館と、民具を題材とする現代美術作家のアート作品を展示する美術館が融合したこれまでにないかたちのミュージアムです。

　「奥能登国際芸術祭」は、2017年に第1回が開催されたトリエンナーレ（3年に1度）形式の芸術祭です。珠洲市内全域を会場に、地域の歴史や生活文化、環境的な特徴をよく表す場所で、アーティストがその場に固有の作品を制作・展開します。第2回は2020年に開催予定でしたが、新型コロナウイルス禍で1年延期となり、「2020＋」として2021年の開催となりました。

　スズ・シアター・ミュージアムの構想の発端には、「奥能登国際芸術」の一環として行われた「珠洲の大蔵ざらえ」プロジェクトがあります。珠洲の家々に眠っていた民具、生活用具を市民総出の「祭り」として収集・保存し、同時にアート作品として新たな価値を付与しようとするこの他に類を見ないプロジェクトは、キュレーションと「シアター」の演出を担当するアーティスト、民俗文化アドバイザーを務める文化人類学・民俗学の研究者を中心とする、地域内外のさまざまな専門家やサポーターの協力によって実現したものです。

　本カタログでは、このユニークなミュージアムが成立した背景から、民具とアート作品が織りなす空間とそのコンセプト、旧小学校の体育館がミュージアムとして再生するプロセスまでを豊富な図版で紹介します。また、準備段階で行われた民俗資料の保存・調査活動の成果の一端を示すとともに、「大蔵ざらえ」とスズ・シアター・ミュージアムの試みが歴史学や民俗学研究に対してもつ意味についても論じています。

　スズ・シアター・ミュージアムは、里山・里海の恵みを享けた奥能登の生活文化に新たな側面から光を当てるのみならず、地域の生活文化と深くかかわる芸術のあり方、地域の魅力と活力を引きだす民俗資料の収集・保存の方法についての議論にも、重要な一石を投じる存在になると思われます。本カタログが、スズ・シアター・ミュージアムを実際に体験した方たちにはもちろん、いまだ現地を訪れていない方たちにとっても、能登半島の尖端で始まった芸術と民俗文化を重ね合わせる野心的な取り組みを知り、その意義を理解する一助となれば幸いです。

2021年11月
スズ・シアター・ミュージアム

スズ・シアター・ミュージアム「光の方舟」外観　撮影：Sae Mangyo

目　次

I 珠洲の大蔵ざらえ

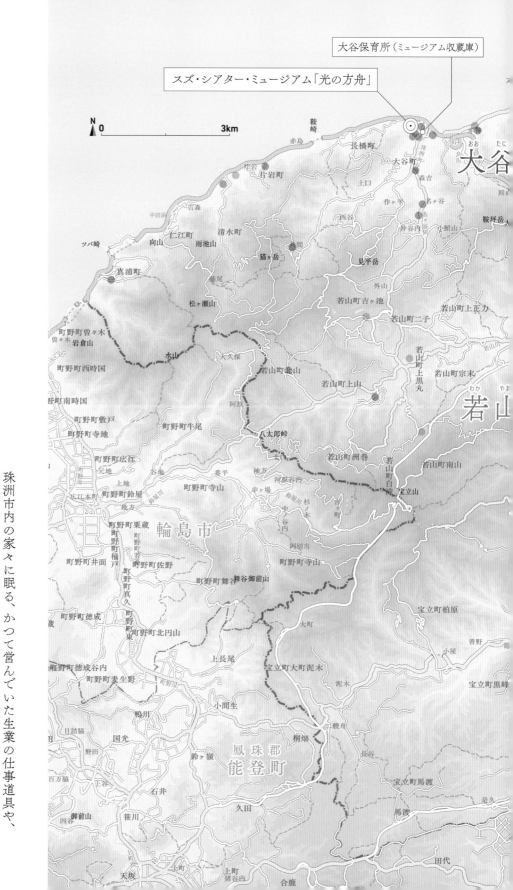

● 「大蔵ざらえ」を実施した家
● 「奥能登国際芸術祭」アートサイト（第1回・第2回）

大谷保育所（ミュージアム収蔵庫）
スズ・シアター・ミュージアム「光の方舟」

珠洲市内の家々に眠る、かつて営んでいた生業の仕事道具や、生活環境の変化によって使われなくなったさまざまな生活用具。「珠洲の大蔵ざらえ」は、そうした民具を収集・整理し、アーティストも加わって「モノが自ら語りだす」ミュージアムをつくろうとして始まった。

日置

珠洲市

三崎

正院

直

蛸島

上戸　飯田　飯田湾

宝立

「珠洲の大蔵ざらえ」の記録

実施プロセス

①情報入手 ……………… 市内に蔵の整理と使用しなくなった民具の寄贈を
呼びかけ、「大蔵ざらえ」への参加を募る。

②下見 …………………… 参加を希望したお宅に事務局スタッフが伺い、
蔵の内部を実見しヒアリングを行う。

③収集 …………………… 収集日を決め、サポーターやスタッフが参加して蔵を
整理し、民具を運び出し、収蔵庫（大谷保育所）へ
搬入する。または事務局へ直接持ち込んでもらう。

④聞き取り・調査・仕分け …… 収集した民具の来歴、民具にまつわる思い出などの
聞き取り調査を行う。サイズの計測、撮影などは、
民具収集期間後に収蔵庫にて行う。

⑤活用 …………………… アーティストを収蔵庫に案内して収集した民具を
見てもらい、作品への活用をはかる。

［参加受付期間］2020年3月〜10月　［受付件数］83件　［民具収集期間］2020年3月〜11月
［収集件数］77件＊　［収集民具点数］1649点＊　［サポーター延べ参加人数］133人

＊2021年9月現在。作品制作中にアーティストが収集した民具も含む。収集活動の再開、民具調査の進展によって上記の数値は変動する可能性がある。

坂本家

「大蔵ざらえ」について　北川フラム

　私が初めて珠洲に入ったのは2012年の秋の夜、金沢まで迎えにきてもらった車に乗ってのことでした。街灯でボンヤリ明るいところがある以外は闇のなかにおぼろげに街並みの輪郭がわかるだけですが、海岸沿いの漁業が中心の町とは思えない重厚さが感じられます。以来、担当のK氏に連れられて多くの家を訪ねましたが、平地からちょっと上がった坂に斜めに切られた入り口から続く敷地にある家は、みんなしっかりした大工仕事で作られていて、柱も床も梁も戸も長年の折目正しい生活が磨きこまれて時間が光っている感じでした。庭から林に続くところでは野菜を育てています。そんな訪問の折、丁寧に茶を淹れてくれるお年寄りや年がいったご婦人がふと漏らす言葉に、この

01 地引網で使われていた民具の説明を受けるスタッフたち　02 堂前家の美智子さんよりお話を伺うサポーター　03 慶弔儀式のおもたせ「カゴ盛り」を手に「ヨバレ」ついて話をする田畑家のきくいおばあちゃん　04 中谷家の方々からヒアリング（写真左から事務局スタッフ、雅子さん、淳子さん、淳子さんの旦那さん）　05 商店で使っていた民具の説明を受ける

01

02

蛸島地区の家並み

昔の蛸島漁港（中谷家の三郎とおちゃん撮影）

家に遺された調度や備品についてだけでなく、この家をどうしようかという不安を感ずるときがありました。都市に出ていった息子や娘たちが帰ってきて家に住むわけではない将来、100年を超す家作の家仕舞が近づいているのです。

　地域の自治体では、民俗資料館や博物館の行末について課題があります。特に平成の大合併で消滅した町村がもっていた資料館などの場合、それらを維持するのは並大抵のことではありません。予算も人も足りず、前向きな展開は不可能に近くて整理もままならない。また、特徴的な収蔵品や優品がそうそうあるわけではありません。目まぐるしく変わる流行のなかで観光資源としても弱く、全国の民俗資料館は風前の灯火です。

　過疎・高齢化が進行するなかで持ち主のいないモノは増えつづけ、できれば公の施設に寄贈したいと願う人は多くいますが、行政の本音は「もういいや」です。その一方、大切な民俗資料の収集・整理・研究をちゃんとやらねばという真っ当な意見もある。これらの位相が違う考えが交錯し、展望ある方針が出せなくなっているのが実情です。

　2010年に始まった瀬戸内国際芸術祭の場合、アート作品がもつ①地域の特徴の発見、②設置場所となる旧施設や空き家、土地を理解するための学習、③協働作業、④作品がもつ現場への誘客力とそこでの交流という4つの利点を生かし、地域への誇りを醸成することを目指していたのですが、ここで全国13か所あるハンセン病隔離施設のひとつだった国立療養所大島青松園が焦点になりました。1996年にらい予防法が廃止されて、ハンセン病施設のオープン化、長いあいだ隔離、差別された元患者さんたちの自由が宣言されたときにも、この療養所では指針がまとめられなかった前史があります。瀬戸内国際芸術祭の目標は「海の復権」です。自由で自在な海や島が復権され、海と水をベースに生きてきた列島の人々が再びこの地政的条件を活かして国際的に生きるという目標のなかで、備讃瀬戸の負の歴史を担う大島に芸術祭の舞台にあがってもらうことが、大切な一歩になると私たちは考えたのです。大島の元患者さんはこの要望を受けてくれて、大島は瀬戸内国際芸術祭のアートサイトになりました。この時、今は使用されてい

03

04

05

ない建物や、かつて使われていた生活用具、亡くなった住民の方の蔵書などは実に重要で、これらをどのように扱うかが課題となりました。ここでアーティストが活躍するのです。手足が欠損したり、目が不自由だったりするハンセン病特有の症状にあわせて工夫し、加工された什器、道具類を保存すると同時に、アート化し、展示し、皆さんに開陳したのです。これが大島を活性化し、住民が他所、他者と活発に交流するきっかけとなりました。資料室やカフェをオープンするなど、後に展開するプログラムの先駆けにもなりました。アートが、時代の要求に応える民俗資料館の大切さ

を理解していく手助けになったのです。

　以上の経験が、大谷の旧西部小学校体育館をみたときに、シアター・ミュージアムの構想につながりました。

　もともと珠洲の奥能登国際芸術祭では、ほとんどのアートサイトが空き家や廃駅、旧銭湯、旧保育所や旧小学校など、かつて使用され、今は用途もなく残されていた場所でした。第1回、第2回の作品リストを見ればそれはよくわかります。また、それらがよく残されているのが、「古いものを大切にする」珠洲の特色だと思います、かつて殷賑を極め、今は本州最小の市となっている珠洲

収集された糸車など

200年前（天保期）の御膳

堂前家の蔵から収集された方位磁石

中谷家の蔵

木製のたんすを蔵出し

収集される蔵の様子

堂前家で民具の収集作業を行うサポーター

堂前家での民具収集の様子

の大切な資料、そしてそれらを大切にする心情が、それぞれの家々にも残されています。

　市民総出の祭りとして家仕舞の準備に取り組み、家々の蔵に眠っているモノを集めて生き生きとした博物館（モノが語り演ずる劇場）を作ろう。博物館は専門の研究者の指導をうけて収蔵品をセレクトし、研究・展示をする。モノの一部はアート化し、演者として活躍させる。このような骨格を定めて、プロジェクトはスタートしました。

　私は千葉県佐倉市にある国立歴史民俗博物館を何度か訪れていますが、その企画展では、モノをひとつずつ展示するだけではなく、群で表現する

ことが多い。また常設展も、女性参政権、未解放部落、関東大震災時の朝鮮人虐殺などをモノの集合で語る展示をすることが多い。広くスペースをもつ場所ではそうやって頑張っているところがあります。また美術の展覧会でも、例えばクリスチャン・ボルタンスキーが赤錆びたビスケット缶のひとつひとつにホロコーストで亡くなった子どもたちの写真を貼って、美術館の壁を埋めた例があります。美術館というホワイトキューブに時間をもちこんで、あるいは人という群をもちこんで、とかく均質なポテンシャルになりがちな空間を生き生きとさせました。モノたちは群れて語りだす

民具（樽）の収集作業

5人がかりで収集される機織り機

農具として使われていた民具の運び出し

大八車をトラックに積み込む

大谷保育所に集められた民具たち

民具計測の様子

民具磨きの様子

民具の記録写真撮影

ことがあるのです。ひとつひとつを計測、分析し、展示することは大切な一歩ですが、余裕があれば群として扱うことも大切でしょう。珠洲ではそれを考えました。

　これらを活気をもって始めようとしたのが、「珠洲の大蔵ざらえ」という大そうじ、大引越し騒動です。大八車にモノを満載して、旧西部小学校への坂道を運びあげる。市長が両手に扇子で、それをあおいで応援する。そんなイメージが大切だったのです。珠洲の元気、再興を態度で示そうよ！

　そのプロセスを、大蔵ざらえスタッフたちの活動記録写真の断片で見てください。

大八車で旧西部小学校へ運び込むイメージ

定規を使い民具の大きさを記録

収集される壺や七輪

農具の使い方を教えてもらっている南条さん、川村さん

民具を大八車に乗せて旧西部小学校の坂道を押し上げる

収蔵庫への搬入作業

漁網収集

軽トラック一杯に積み込んで運び出される民具

その後はアーティストの南条嘉毅さんと、学芸部門の考え方をオーソドックスに指揮してくれた川村清志さんが両輪になってくれました。そして建築の山岸綾さん、造形・演出サポートのカミイケタクヤさん、特殊照明の鈴木泰人（OBI）さん、映像ワークショップさんたちが構想の実現に協力し、南条さんを含む8組のアーティストの皆さんが作品を展開しました。最後に点睛として、音楽家の阿部海太郎さんが参加してくれました。

今後も多くの大蔵ざらえが行われるでしょう。そんなにスペースはありませんが、分館は作っていきます。今回の大谷保育所が第一号です。しかし、

先に述べたように奥能登国際芸術祭で使われた会場は、もともとそれぞれがひとつのシアター・ミュージアムのようなものだったのです。

今を生きる人の未来にとっては、古いものを壊して捨てるだけではなく、死者たちのそれぞれがもつ日常がそこに息づいていなくてはならない。スズ・シアター・ミュージアムはそんな考え方から出発したのです。

収集された日記の数々

ひとつひとつにタグづけ（火消しの壺）

塩販売の看板

II

スズ・シアター・ミュージアム
「光の方舟」

テキストとスケッチ：南条嘉毅

写真：木奥惠三

スケッチ「海辺で」| 2020

奥能登の海辺で出会った老人は、自分の就いていた仕事の説明の前に、この土地の風や天気の話を始めた。

雲を見て、季節風を読み、天候のことを理解できないと仕事も生活もできない。幾つもの仕事を季節ごとに変えて生活してきたという。

スケッチ「丘の上の体育館」| 2020

能登半島さいはてのこの街は、山を背に海沿いのほんのわずかな平野部分と川沿いに集落がある。

数百年はそこにあろうかと思えるタブノキに守られた大谷神社の杜を横に、急な坂道を登ると、冬の強風をそのまま象ったような1本の木がある。

その先には、廃校になった小学校の体育館が、山を背に座礁した大型船のように建っていた。

「珠洲の大蔵ざらえ〜光の方舟〜」

　細いハシゴで蔵の二階に上がると、そこは地層のように積み上がり、幾つもの時代の空気感に包まれた民具が、不在の持ち主の記憶とともに暗く眠っていました。土埃を落としながら少しずつ片付け始めると、最初は見えなかった暗い形は、徐々にその民具に姿を戻し、急な階段を下ろされ運ばれていきます。

　どれだけか経った頃、ようやく奥の壁まで到達し、前庭で休憩をする声が聞こえ手を止めました。階段に向かって歩き始めた背後から何かを感じ振り返ると、初めは見えなかった蔵の奥の窓から、光と風が流れ込んできていたのでした。（大蔵ざらえのメモから）

　珠洲の大蔵ざらえは、住民の皆さんといっしょに、街に旧くからある蔵や納屋、船小屋などを整理し、先代、先々代の生業や衣食住、行事で使用された民具の、かすかに残る記憶の余光を集めるプロジェクトとも言えます。その民具をめぐる物語は、アーカイブ化され、アーティストの作品と重なり行き来するような、「珠洲の大蔵ざらえ〜光の方舟〜」というプログラムとして公開されます。

　珠洲市大谷町にある旧西部小学校には、遠い海を眺めるノアの方舟のように体育館だけが高台に残っており、プロジェクトで集められた民具の一部はトラックやリヤカーでここへ運び込まれました。会場内にはまるで海揚がりの珠洲焼のように、時間と記憶をまたいだ民具がいくつかのブースに展示してあります。点在する小屋には、複数のアーティストの視点で捉えた、民具を通した珠洲の歴史や風景、風土などをテーマとした作品がそれぞれ展開されています。

　中央にある砂浜は、氷河期の珠洲の砂が敷き詰められ、白化した貝殻の上には、波の映像がその風景を蘇らせます。民具にかすかに残る記憶の余光は、珠洲の物語へとつながり、海底の時間の渦に巻き込まれていくかのように会場を巡り歩くこととなります。

　会期後も展示物が増えるたびに、物語は永続的に変化し続けます。その風景は珠洲の記憶であるとともに、来場される方々、会場を見守る地元の方々とともに成長していくことになります。

余光の海 | 2021

余光の海

海底に沈んだ街には光が届かず
幾千年前の砂浜は化石化し
時の止まったような青白い風景が広がる

砂浜に残された古の記憶が
徐々に波となり
淡く打ち寄せてくる波音に共鳴したかのように
民具の灯りが徐々に揺らぎ点灯する

その波は徐々に大きくなり
冬の海鳴りのように風とともに渦巻く

それぞれの民具の背景に見える小さな光
遠い持ち主の記憶や
そのものが使用されていた当時の背景
絶え間ない変化の中で
それを受け継いできた思いが、残照のように輝く

光は砂浜にも浮かび上がり、やがてひとつとなり
砂浜からゆっくりと水面をめがけて上昇していく
光は水面で揺らぎ消えていく

暗くなった街の背後の民具の先に
遠く水平線に漂う街明かりが見える

砂浜には光の道だけが残っている

スケッチ「漂う船」| 2020

会場見取り図

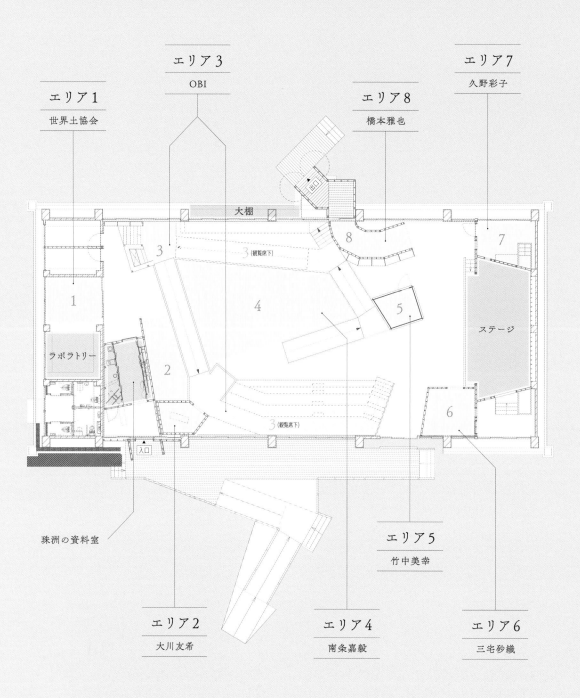

エリア1
世界土協会

エリア3
OBI

エリア7
久野彩子

エリア8
橋本雅也

大棚

3

3 (観覧席下)

8

7

1

ラボラトリー

5

4

ステージ

2

6

3 (観覧席下)

入口

珠洲の資料室

エリア5
竹中美幸

エリア2
大川友希

エリア4
南条嘉毅

エリア6
三宅砂織

珠洲の資料室

入り口の古い蔵戸をくぐると、暗い室内にいくつもの明かりの漏れる窓が現れる。窓の中には珠洲市内のいくつもの蔵の中から収集された民具が展示されている。
先代、先先代の使用していたもの、すでにほとんどの人の記憶から遠いものもある。農具や船で使用されていた漁具、赤御膳や、製塩道具など、
この町で長い時間使用されてきた民具だ。窓の扉にはその用途や背景を読み解く文章が記されている。

ラボラトリー

集められた民具が分類され、研究されている。古い書物などに混ざり、設計図やドローイング、スケッチなどが誰かの手によって再構築されようとしている。

もうひとつの蔵戸の先には、さらに暗い部屋がある。積みあげられた箪笥の、終われたまま眠っていた引き出しが開かれている。
奥能登の農家で長く行われている伝統行事に、現在のリアリティーが編みこまれている。
世界各地の人びとが持つ、感謝し、願う行為を共有することで、箪笥を通して異空間を垣間見せている。

鈴の音が聞こえてくる。街のどこからともなく聞こえるその音は、離れて暮らす家族や友人との楽しいキリコ祭りの思い出。
音と記憶が瞬時に結びつくように、そのとき着ていた服もまた、当時の情景を思い起こさせる。
色とりどりの紐は、古い衣類に宿る記憶の断片を繋ぎあわせているかのよう。たくさんの人の手で紡がれ、作家とともに街の人たちが丹念に繋ぎあわせたものだ。

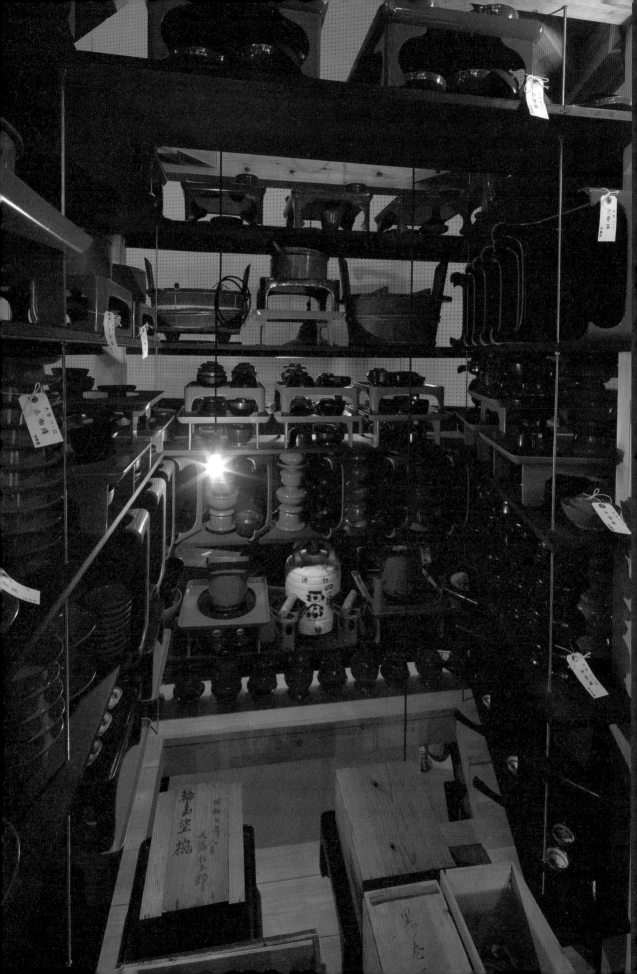

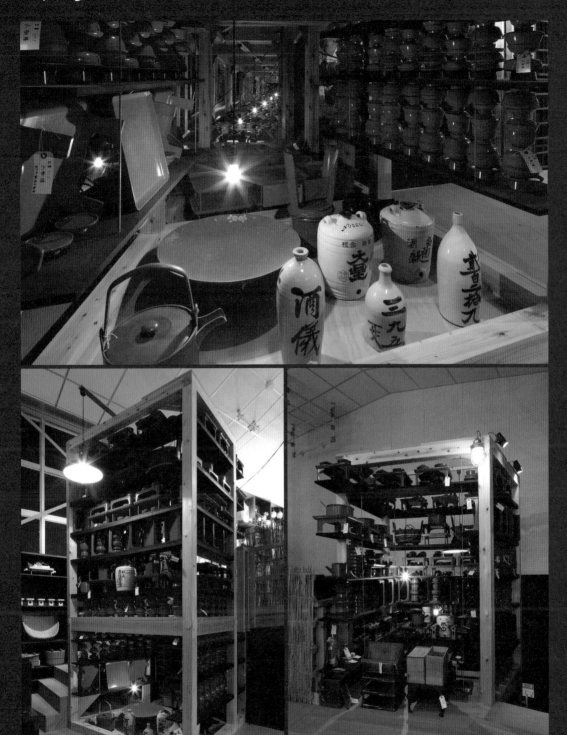

朱色の漆で塗られた器が堆く積み重なっている。珠洲の祭りの日に行われる「ヨバレ」は親戚、友人、知人を家主がもてなす、この地域の独特の風習である。その接待に用いられた赤御膳は、今は他の器に役目を譲りこの場所に丁寧に整理されている。色鮮やかな赤く積み上がった器の内側には、深く闇のような漆黒の器が影を潜める。鏡写しにも見えるどこまでも続くかのような御膳は、現実と非現実の境界を曖昧にさせている。

そのものは人の手を離れることによって、ひとつひとつの持つ由来や用途は薄れていく。この場所には、その多くの器が辿りついてきているようだ。観覧席の足元に入ると、そこにはどこまでも果てしなく続くような数の道具類が整然と並ぶ。狂気的なまでに埋め尽くされ、それらは強烈な意識を持ってこちらを見ているように思える。

大きな棚はその枠ごとに、民具の背景を見つめている。床下に眠っていた瓶は光を通すことでその時代の色を宿し、
テレビは当時の風景をゆっくりと映し出す。桶や釜たちは重なることで新しい形を見せ、その横の唐箕たちは、並ぶことで表情を得たようだ。
それぞれの民具は持ち主の手を離れ、この場所で新たに呼吸をし始めたのか。遥か遠くに揺らぐ街の灯りが見える。

緩やかに渦巻く桟橋の周りには、さまざま民具が当時の面影を残しつつそこに在る。砂浜に、映っては消える波の景色は、その砂の遠い記憶を浮かび上がらせている。
ここに集められてきた、絶え間ない変化のなかで役目を終えた民具には、遠い持ち主の記憶やそれを受け継いできた思いが、残照のように残っている。
貝殻でできた光の球体は、浮遊した時間の浜に打ち上がった記憶の余光なのか。

手紙や、海にまつわる日記は青く、滲み、薄れ、ガラスの中には淡い影の景色が浮遊する。
そして持ち主のおぼろげな記憶のように焼き付けられている。その影の重なりは、刻々と変わる海の表情や、忘れられていくものの儚さをあらわしているかのよう。
人は文章や記録、あるいは建物、土地を残す行為で、自分の存在を確認しそれを次の時代へと託す。それらは手放す瞬間浮遊し、記憶の忘却へとむかう。

Seascape (Suzu)［左］・Untitled［正面］・The missing shade 59-1［右］

薄暗い室内の壁を埋め尽くす、ぶ厚い木材。ホゾのような穴、曲線に加工されたもの、船の部材や櫓なども含まれている。
その壁は幾つもの背景を背負い重く立ち上がっている。マクロの結晶、揺れ動く、白黒にそぎ落とされた風景、反転された静かに動くその世界。
一見して日常の延長に存在するが、ゆっくりとそぎ落とされた、個人の視線のブレを含んでいる。それは同じ像を見ていると同時に、何か別の物語と向き合っているかのようだ

黒く大きい長持が床面いっぱいに並べられている。嫁入り道具のひとつとして持ち込まれ、
祭りなどで遠方から訪れる親戚家族、船乗りや職人など、季節ごとに入れ替わる多くの人たちをもてなす寝具などを収納使用していたと聞く。
今は空となりその不在感をあらわにさせている。その忘れられつつある記憶や声を繋ぎとめておくために静かに見守ってくれているように思える。

納屋蔵を思い起こさせる土間に敷かれた藁やムシロに、鍬や脱穀機などが所狭しと置かれている。その農具たちは既にその役目を終え、ひび割れ朽ち欠けているものもある。
欠けた部分を繕うように添えられた金属は、その道具が使われていた様子を思い出すかのように、無機的に増殖し、景色を再度構築しようとしている。
ひとつの道具から見える幾つもの風景は、時間も場所も超えてつなぎ合わされる金継ぎのようだ。

母音／海鳴り

海雲

スケッチ「谷の集落」| 2020

外へ

長い時間の渦を抜け
明るい空が広がる

光の先には山の合間の細い谷が
海へと繋がっている

磯岩の先に霞むその水平線は
遥か以前の異郷との交流を思い起こさせる

谷間のわずかな平地には
休耕畑に挟まれ小さな畑が丁寧に作られ
その側では墓石が見守っている

刻々と変わり
長く変わらないこの景色は
海と陸の境界で暮らすこの土地での
多くの巡り合いのなかで
作り上げられたのであろう

アート作品紹介（進路順）

エリア1

世界土協会 │ Soilstory ‒つちがたり‒

World Dirt Association │ Soilstory

使用した民具など：さまざまな家庭の箪笥／祭事などに使用されていた民具／農業に使用されていた民具／着物／御膳

大蔵ざらえで集まった民具のなかでも、とくに箪笥に着目。引き出しを開けると、民具が内包する記憶の異空間が広がる。「あえのこと」や地元の人の「土の記憶」のリサーチをもとに、モノと映像で構成するインスタレーション。

エリア2

大川友希 │ 待ち合わせの森

Yuki Okawa │ Forest for gathering

使用した民具など：キリコ

珠洲の人びとがつくりあげる祭りという場の意味を再考。役目を終えたキリコと古着を裂いて結びなおした「記憶の紐」で、森のように数多の記憶に満たされた場所をつくる。「記憶の紐」は、地元の婦人団体や小学生、高校生とのワークショップで制作した。

エリア3

OBI │ ドリフターズ

OBI │ Drifters

使用した民具など：赤御膳／黒御膳／おひつ／陶器酒樽／祭具／屠蘇器／角樽／おちょこ／とっくり／一升瓶／小物入れ／はかり／茶わん／宝石箱／熊野（裁箱）／鳥かご／陶器瓶／鉢／お重／火鉢／瓶／黒電話／テープレコーダー／網

かつて宴席で使用された御膳や日用の食器、多様な生活用具など、家々から時代を越えてミュージアムに流れ着いたドリフターズ（漂着物）たち。奥深い蔵を潜り抜けるかのような空間に配置された道具の集積から、奥能登の歴史や食文化を体感する。

エリア4

南条嘉毅 │ 余光の海

Yoshitaka Nanjo │ Sea of Argonauts

使用した民具など：平床地層の砂／貝殻／木造船／浮子／漁網／漁網巻き取り機（轆轤）／ピアノ／短歌集ほか

珠洲の古代の地層から掘り出した貝殻の混じる砂を床に敷き詰め、木造船や漁具、古いピアノなどを据えて映像を照射。珠洲の土や太古に海岸に揚った貝殻、使われなくなった民具たちのそれぞれが内にもつ記憶の残照を浮かび上がらせる。

エリア5
竹中美幸 ｜ 覗いて、眺めて、
Miyuki Takenaka ｜ After reading, Looking at there,

使用した民具など：日記（大正7ー昭和32）／日記の一部が入っていた小箪笥／浮子／ランプ／農具

大蔵ざらえで集まった古い日記には、SNSで発信される出来事とは異なる生活の記録が残されていた。半透明のガラス小屋のなかで回転する灯りがフィルム化された日記やオブジェを照射し、ひそやかに語られ、どことも知れず漂う珠洲の物語を織りなす。

エリア6
三宅砂織 ｜ The missing shade 59-1 Seascape (Suzu) Untitled
Saori Miyake ｜ The missing shade 59-1・Seascape (Suzu)・Untitled

使用した民具など：木造船（漁船）の廃材

船の古材を配した空間に、過去と現在の船の写真やフォトグラムを組み合わせた映像インスタレーションを展開。人びとの眼差しの奥に広がっている珠洲の海景を、さまざまな変化を経ながらも連綿と続くイメージとして浮かび上がらせる。

エリア7
久野彩子 ｜ 静かに佇む
Ayako Kuno ｜ Linger quietly

使用した民具など：主に藤田家の納屋に収蔵されていた農耕具

珠洲の農村風景や地図をモチーフとした細密な金属の造形物を耐火石膏で鋳造し、空間に配した古い農具の欠けや割れ目に這わせるように接着。先人の持ち物に向きあい、受け継がれてきた街の歴史と重ね合わせて、まだ見ぬ新たな景色を現出させる。

エリア8
橋本雅也 ｜ 母音／海鳴り　海雲
Masaya Hashimoto ｜ Vowel / Mistpouffer・Sea clouds

素材：土（工場跡地から採取）／鯨の歯／大谷神社のタブノキ（台座）

瓦工場跡地から採取した粘土を素材につくられた作品と、鯨の牙を素材として台座に神社の倒れた神木を用いた作品。土とともにあった珠洲の歴史、奥能登の生活文化を支えてきた風土に思いを馳せる。

「光の方舟」の創り手たち　南条嘉毅

　2019年末に代官山のギャラリーの一室で、「大蔵ざらえ」というプロジェクトと、その民具をもとに劇場型の民俗博物館を構想している企画案をディレクターの北川フラムさんから伺いました。その壮大な話の、全体の構想と演出をさせていただくこととなり、その後多くの方々に意見を伺いながら、「光の方舟」は制作されていきます。

　2017年の奥能登国際芸術祭では、珠洲の飯田エリア周辺を中心に取材していたので、まずは大谷エリアへ視察に行き、神社にお参りし、あの急な坂道を登りました。丘の上には強風をかたどったようなヒマラヤスギと、取り残されたように比較的綺麗な体育館だけが建っていて、その館内にもほとんど何もなく、片隅に1台のピアノが残されていました。全体の空間だけ把握し、体育館の裏に回って、そこから谷間の畑、墓と集落、その先の水平線が見えたとき、

すでにこのプロジェクトそのものを凝縮したような風景がそこにあるように感じて、そこから構想を膨らませていきました。

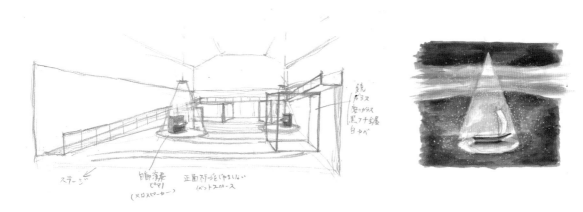

滞在中、時間の許す限り図書館で調べた資料や関係者の方から伺った話から、収集されるであろう民具が使われていた当時の街の風景を頭に思い浮かべたりしました。そしてスタジオに戻り、ドローイングにイメージを落とし込んでいったのです。

最初は、体育館の外観や大量の民具が会場に集められる様子から、海の見える高台にあるノアの方舟をイメージし、外観やグラウンドには船のような蔵を描き、館内には蔵や小屋を巡って歩く、長く続く板張りの道を描きました。海の底に沈む約100年分の珠洲の風景を、山、海、里に見立てた空間に配置する構想でした。その頃、越後妻有の「鉢＆田島征三　絵本と木の実の美術館」やあいちトリエンナーレで学校建築の設計改修・空間設計に多く携わっている建築家、サイクル・アーキテクツの山岸綾さんにお話を伺うことになりました。

実現しなかった光る階段のスケッチ

大棚をイメージしたスケッチ

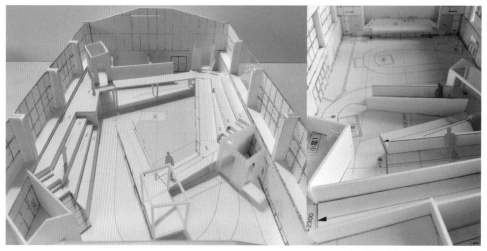

イメージの立体化　模型制作・撮影：山岸綾

2020年2月初旬、冬の日本海の強風が吹き荒れる会場で、フラムさん、山岸さん、スタッフの皆さんで、ずらっと並べたドローイングを前に、入口から出口までの構想をお話しさせていただきました。その後、いくつも模型を作りながら、板張りの長い通路は桟橋のようなスロープに変わり、さらに渦巻く時間のように会場を一周できる構造へ変わっていきました。小屋としてイメージしていた部分もガラスや板張り、棚のような構造物となり、劇場としての観客席や展示物の吊り構造に至るまで立体化していきました。しかし、現地で風景や民具を見るたびに構想は変わっていくものですから、その後も建築の竣工直前まで設計変更の繰り返しとなりました。

開館した現在もなお、ロゴとグッズのデザインをされたKIGIさんのネオン看板の製作工事が進んでいて、秋の半島外浦に光の船首像が輝きます。工事関係者の皆さまには、無理ばかり言ってしまって、謝っていいのかお礼を言っていいのか。感謝するばかりです。

2月半ばには収集する民具の行く先を考えるべく、民具類を集める際の分類・整理・記録、メンテナンス、保管、学術調査など広域にわたるアドバイザーとして、国立歴史民俗博物館の川村清志先生にサポートしていただくこととなりました。ご自身の研究で30年近く輪島市（大谷エリアは輪島に隣接している）に通われていると聞き、ぜひお話を伺えればと考えました。民具収集についてのアドバイスだけでなく、過去に県や国が収集してきた珠

左）会場全体が渦巻くうねりのある空間　右）桟橋のようなスロープのある劇場空間に改修

世界土協会のスペースのスケッチ

「珠洲の資料室」のスケッチ

建築竣工写真撮影:松田咲香

洲市の民具や現在集めている民具の傾向、それらが使用された背景、会場のキャプション、ある貝についての逸話まで、アーティストと共に同行し教えていただきました。

　同時に、民具や資料、風景、風土をどのような形でアートと重ね合わせ、見ていくのかを検討しました。そして自分ひとりの視点ではなく、何組かのアーティストが加わって地域の情報を収集し、それを直接的にあるいは間接的に作品に取り込むことが必要ではないかと考えました。それぞれの手法と場所の環境を配慮して、大川友希さん、OBIさん、久野彩子さん、世界土協会さん、竹中美幸さん、橋本雅也さん、三宅砂織さんに声をかけ、プロジェクトへの参加をお願いしました。

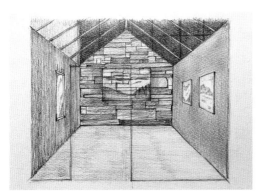

図面から空間をイメージしたスケッチ

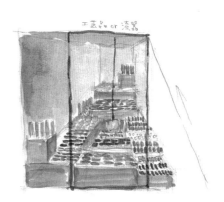

OBI展示イメージのスケッチ

その後、3月に「奥能登国際芸術祭2020」の企画が発表されましたが、COVID-19の収束は見通せず緊急事態が宣言され、5月には芸術祭の1年延期が決まります。アーティストは当分現地入りすることができなくなりました。多くの不安のなか、企画発表から市民への「大蔵ざらえ」の呼びかけは始まり、少しずつ地域の方々から民具資料の協力が始まりました。

7月になると、一時保管所として使わせてもらっていた大谷保育所の廊下には赤御膳の箱がずらりと並び、部屋に設置された大型の棚は、事務局スタッフやサポーターさんたちの手によって、ところ狭しと民具で埋め尽くされていきます。時間と距離を遮断するようなコロナ禍の期間が、この「大蔵ざらえ」においては後押しとなり、より多くの人がこのプロジェクトに目を向けてくれることになったようです。

稲刈りが始まる9月ごろ、ようやくアーティストも下見に入れるようになって、珠洲市の全域においてそれぞれの取材活動や、本格的な民具持ち主への聞き取り調査が始まりました。そして、ついに事務局スタッフ、地元サポーターさんたちと一緒に「大蔵ざらえ」を実施できました。新型コロナウイルスの直接的な影響が少ない地域での活動ということもあり、検査など十分気を使いながらの作業が続きます。

橋本作品のイメージスケッチ

ラボラトリーのイメージスケッチ

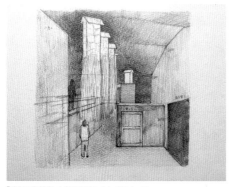

「珠洲の資料室」と大川作品のイメージスケッチ

会場内に持ち込まれた民具　撮影：南条嘉毅

11月上旬で「大蔵ざらえ」はひとまず終了。77軒から収集された民具は1600点を超え、大谷保育所だけでは収まらず別に借りた施設まで埋め尽くしました。大蔵ざらえや聞き取り調査の様子、あるいはアーティストたちの動きやサポーターとの協働の様子などは今後思わぬ形で重要な資料になるかもしれないので、映像ワークショップさんにお願いしてすべて撮影し、動画をアーカイブ化していただきました。そして冬になり、大蔵ざらえに参加したり、物に直接手で触れたりして制作の糸口を見つけたアーティストたちが、より詳細な聞き取りや制作に移行しようというタイミングで、2度目の長い緊急事態宣言のため、再び現地に行くことができなくなりました。この長い冬の期間、最近では珍しいほどの雪が珠洲には積もりました。

12月から2021年2月にかけて、民具の写真撮影・計測などを行い、サポートスズの皆さんによってアーカイブデータが構築されました。民具の背景に関する聞き取り調査など民具を集めるタイミングでしか得られない情報について、そして民具の撮影と計測、1点ずつのタグつけや資料保存の方法など、民具の新たな活用についての道筋を、国立歴史民俗博物館の川邊咲子さんにご指導いただきました。

光の表現と特殊照明　撮影:南条嘉毅

そしてまた春になり、ついに会場内の建築改修が竣工し、アーティスト、研究者により選定された民具300点余りが、2日がかりで会場内へ運び込まれました。

会場内は、まるで海揚がりの珠洲焼のように、長い時間と記憶をまたいだ民具が通路や観客席を埋め尽くすほど並べられました。キリコ、漁具、農具、生活民具など、大きく分かれた会場内には、それらを照らすオイルランプや照明が数多く設置されています。その照明類は民具の呼吸のようでもあり、わずかに残った民具の記憶の余光のようでもあります。その光を表現するために、今回もOBIの鈴木泰人さんに特殊照明をお願いしました。鈴木さんとは、奥能登国際芸術祭2017の旧飯田スメル館で展示した「シアターシュメール」も一緒に制作しています。そしてアリーナには、平床台地から採取した氷河期の砂の化石が敷き詰められ、太古の砂浜をつくっています。そこにはこの能登半島の先の狼煙の沖で、暴風雨で難破し沈んでいった船を

舞台美術家による船と砂浜の造作　撮影:木奥惠三

イメージした木造船が砂浜に留まっています。この船の造作や砂浜の造形、残されていたピアノの加工などを、舞台美術家のカミイケタクヤさんに制作していただきました。また、劇場型プログラムの構造づくりや演出にも一緒に取り組みました。

そして会場に流れる音楽は、この特殊な空間における民具の声であり、それらの民具が使われていた時代から現在へと広がる音の風景なのかもしれません。その風景は鑑賞者の記憶と繋がり、珠洲の出来事だけではなく、鑑賞者それぞれの物語の一部になっていきます。初夏を超え本格的に夏になるころ、阿部海太郎さんにその音楽を依頼し、現地へ視察に来ていただき、この壮大な物語を音楽でまとめていただきました。

「光の方舟」を創った多くの方たちの関わりや仕事の垣根を超えた協働の重なりは、一体となってある「美しさ」の幅のなかにあるように思えます。それは民具そのものの美しさかもしれないし、民具の背景の物語、その風土との関わりを想像するのかもしれません。あるいは哀愁や寂寥なのかもしれません。そして何より刻々と変わり、ずっと変わらないこの珠洲の風景の美しさに集約されるのかもしれません。収集された民具それぞれは、懐かしい思い出であり、遠い遺品でもあります。来館した皆さんが会場を後にする際、そっと終わり過ぎゆく哀しみと、民具たちに新たな未来を感じさせる光を、水平線が暮れなずむ時間とともに感じていただけると嬉しく思います。

最後に、このプロジェクトの制作、民具の収集分類、聞き取りなど、ご協力いただいた多くの方々に感謝申し上げます。

音風景の原点となった古いピアノ　撮影:木奥惠三

民具解説　構成：川村清志、川邊咲子

　最初の部屋では、大蔵ざらえで収集された生活資料を紹介する。向かって左側には、能登のキリコ祭り、製塩用具、あえのことの道具、七輪が並ぶ。向かって右には、ヤスなどの見突き漁の漁労具や網漁に用いるウキ類、クワを中心とする農具、瓦を製作する際の瓦型を紹介する。

　キリコ祭りやあえのことは、奥能登を代表する行事である。能登のキリコ祭りは、日本遺産に認定（2015年）され、あえのことは世界無形文化遺産に登録（2009年）されている。揚浜式の製塩道具の一部は1969年に国の重要有形民俗文化財に指定されており、その製塩技術も2008年に重要無形民俗文化財に指定された。これらの資料は、能登半島の文化的特色を示すものにほかならない。一連の資料の配置は、各々の歴史的な深度も考慮した。近世に大きく展開したキリコ祭りから古代の藻塩に端を発する揚浜式の塩田、縄文の終わり頃から始まった稲作農耕を象徴する儀礼へと続く。一番奥には、こちらも珠洲の特産として知られる切り出し式の七輪を紹介している。

　他方で右側のコーナーは、里海里山での暮らしを示すとともに、地域の内と外を考慮した。ウキ類は定置網や刺し網、あるい延縄漁に用いられ、見突きの漁具は磯での海藻や貝類の採取に用いられた。クワは田畑の耕作に欠かすことのできない農具であり、いずれも、世界農業遺産にも認定された能登の里海里山の地域性を示す資料類である。また、ガラスや樽などのウキ類の多くは、他所から購入されたものである。他地域で生産され、人と物の流れによってもたらされた道具たちを表象する。他方で、能登瓦は地元の土を原料として生産され、富山や新潟などに搬出されていった商品である。両側の窓の一番奥では、七輪と瓦型という、奥能登の土に関わる道具を紹介した。それらは時間的にも空間的にも、人々が暮らす大地の恵みそのものを暗示するものだからである。

キリコ

収集地域：大谷／制作：大正末期

　奥能登一帯に分布するキリコ祭は、近世に大きく展開した。キリコはキリコ灯籠の略称で、木枠に和紙を貼った大型の灯籠を灯して祭りの巡行に用いる。能登では7月から10月に行われる各地の夏祭りに登場することが多い。

　キリコと同じく巨大な灯火を用いる祭りは、青森県のねぶ（ぷ）たや秋田県の竿燈祭りなど、日本海側の北前船航路に沿って点在しており、近世の文化的な交流の軌跡が想起される。

　奥能登の各村落では、地域の威信をかけたキリコの制作に趣向を凝らしてきた。漆塗りの豪奢な細工が組み込まれ、華麗な裏絵も描かれた。基本的な形は直方体の灯籠タイプだが、奴凧のような袖きりこ（能登町小木地区）やキリコとともに人形型の燈籠山（珠洲市飯田町）が登場する祭りもある。キリコの規模も地域内外で競われることが多かった。現在、最大のキリコは珠洲の寺家のキリコで、四基あるキリコの中でもっとも高いものは16メートルに達する。

　しかし、過疎化・高齢化の進む多くの村落では、大きすぎるキリコを持て余し、祭りの巡行を休止したところも多い。これらの文化遺産のともし火は、地域を超えた祭りへの取り組みによって、継承を模索する時代が来ているといえる。

沖合に設置された松明を目指し、キリコを担いで海に飛び込んでいく宝立七夕キリコ祭り。1992年撮影。写真提供：珠洲市

オチョケとイブリ

収集地域:大谷／制作年:大正～昭和

　能登の塩作りは、古代以前にさかのぼる。古いものでは3世紀頃の遺跡から、製塩に用いた土器片が発見されている。遡れば藻塩と言われる海藻類を利用した製塩も行われていたと考えられる。

　珠洲では中世末期の文献に「塩田」の記述がみられる。能登では広く、揚げ浜式塩田による塩作りが行われていた。その後、近世を通じて加賀藩が能登の製塩を統括し、生産した塩と米を交換する制度を整備していった。

　揚浜式では、汲んできた海水を塩田にまき、太陽熱によって水分を蒸発させる手順をとる。蒸発によって濃度が高まった塩水を釜で煮ることで塩をえる。

　ここに紹介したオチョケは、海水を塩田全体に広く撒くために欠かせない道具である。オチョケの読みは、「打桶（うちおけ）」の転化と考えられる。楕円を真ん中で割ったような紡錘形は、体を旋回させながら海水を撒くのに適している。

　他方でイ（エ）ブリは、塩田の砂をならして、水分の蒸発を促すために用いられる。サイズなどは塩田用に特化しているが、これらの道具は水田作業に用いられる道具類が、ニーズに合わせて進化したものである。

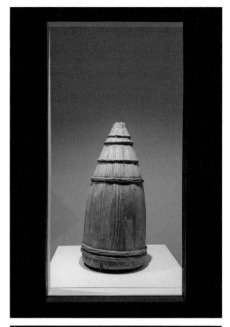

1942（昭和17）年頃に撮影された、往時の塩田作業風景をとらえた貴重な写真。写真提供:珠洲市

あえのこと

　日本列島の農耕の始まりは、縄文時代後期と考えられ、稲作の開始も、約2400年前までさかのぼるとされている。集約的な農耕が展開するにつれて、作物の実りを祈る信仰や儀礼も展開していった。

　あえのことは奥能登地方に伝わり、稲作農耕の原初的な信仰を体現する儀礼として、多くの研究者から注目されてきた。この行事は、農閑期の12月と2月に行われる。収穫を終えた田から田の神を自宅に招き入れ、風呂に入れて食事をもてなす。迎え入れられたカミは、種籾（たねもみ）とともに家にとどまって年を越す。新たな年の2月、田おこしの始まる前にその年の恵みを祈りつつ、再び送り出されることになる。ここでは、田の神をもてなす膳椀と田の神を送る際に用いられるクワによって、この行事を象徴的に表現している。

　あえのことは、日本の「基盤的生活の特色を典型的に示す農耕儀礼」として、1976（昭和51）年に国の重要無形民俗文化財に指定され、さらに2009（平成21）年にはユネスコの世界無形文化遺産にも登録されている。

　もっともこの行事の来歴は明確ではなく、その意味づけも研究者によって過剰に解釈された側面が批判されてもいる。しかし、存続の岐路に立たされている農業の意義を考え直すうえでも、このような行事を守り伝えてきた人々の心意を思い起こす必要がある。

若山町・田中家で執り行われているあえのことの様子。2008年撮影。本来は他人に開陳するものではなく、儀礼の所作、供え物などは一軒一軒ことなるという。写真提供：珠洲市

珪藻土の七輪

収集地域：正院／制作：明治〜大正

珪藻土は、海中の藻類（植物プランクトン）の堆積物を中心とする泥岩層のことである。珠洲を含めた奥能登一帯には、約2000万年から1500万年前頃に形成された珪藻土の地層が広く分布している。何百万年もかけて海底に積み重なった無数の藻類のうえで、能登の人々は生活を営んできた。

二酸化ケイ素（SiO_2）を主な成分とする珪藻土には、多孔性といって無数の微細な穴があいている。この独特の構造が優れた断熱性や保湿性、調湿性を生みだすことで、様々な道具への加工が行われるようになった。

ここに紹介した七輪は、珪藻土の断熱性を有効に利用した代表的な加工品である。能登では切り出し型と呼ばれる七輪が前近代から盛んに生産されてきた。これは、珪藻土地層からそのまま土を切り出して乾燥・焼成するもので、珪藻土内の間隙を損なうことなく利用している。切り出しに用いられる平ノミや鉄砲ノミといった道具類も、各々の作業に適応して、地域でカスタマイズされたものが用いられている。

優れた調湿性を利用して、輪島塗の下地塗りにも珪藻土は重用されてきた。この他に耐火レンガやエコ建材など、多方面にわたる応用的な利用が行われつつある。

珪藻土の坑道と切り出し作業の様子。上2点は1970年頃撮影。「切り出し」製法による七輪、コンロなどの製造は、現在も珠洲市のみで続けられている。
写真提供：珠洲市

ヤス

　ヤスは、木製や竹製の柄の先に鉄製の穂先を付けた漁具で、水中の魚介類や海藻類を捕獲・採取するために使われてきた。穂先の形状は捕獲・採取の対象や地域によって多様な形態のものが製作され使われている。柄は長いもので3〜4mのものもみられる。これらのヤスは、昭和40年代頃までは地域の鍛冶屋や鉄工所でつくられるのが一般的であった。

エゴヤス①　　　　　　　　　収集地域：三崎／制作：不明

　旋回状に広がる穂先で、海底に生えるエゴ（エゴノリ、エゴグサ）を絡め取るためのヤス。エゴは、珠洲市などの奥能登地域では、エゴようかんやエゴもちなどに加工されて食べられている。その採取にはこの形状のヤスがよく使われてきた。

エゴヤス②　　　　　　　　　収集地域：三崎／制作：不明

　二又になった穂先をエゴの根元に差し込んでねじり、絡め取るためのヤス。このヤスのように二又の形状のものは比較的珍しい。

モズクヤス　　　　　　　　　収集地域：大谷／制作：不明

　櫛状の穂先で、海底に生えている岩モズクを挟んではがすように引き上げるためのヤス。この他にも熊手のように多数の細い歯が付いた形状のモズクヤスも使われてきた。

帰港した船からの水揚げでにぎわう漁港の様子。宝立エリアの鵜飼漁港、1965年頃撮影。写真提供：珠洲市

鍬 ^{クワ}

　田畑を耕す道具として欠かせないのが鍬である。その起こりは縄文時代の石鍬まで遡る。弥生時代には木製の台部に鉄製の刃を付けた風呂鍬が出現し、鎌倉時代の製鉄技術の発達とともに一般的に普及したと言われている。2～6本の股状の刃を持つ鍬は備中鍬と呼ばれ江戸後期から明治期に普及した。明治・大正期には、鍬先がすべて鉄製の金鍬が作られるようになり全国に広まった。

　現在は量産されホームセンターなどで販売されている鍬であるが、昭和期半ばごろまでは主に野鍛冶と呼ばれる地域の鍛冶屋が鍬の刃の製作・修理を担っていた。鍬の柄は鍬柄と呼ばれ、主に専門の職人によって製作されていた。農家の要望に合わせてつくられ、どの鍬も一点ものであった。

三つ鍬
収集地域:大谷／制作:不明

　備中鍬のうち、3本の刃を持つ鍬のことをいう。この三つ鍬は刃先が広がった撥形で窓があいたような形をしているため窓鍬とも呼ばれていた。こうした三つ鍬は牛馬や耕運機が入れない棚田などの狭い田んぼの耕起に多用されてきた。刃先が尖った三つ鍬は主に堆肥を扱うときに使われた。

四つ鍬
収集地域:直／制作:不明

　備中鍬のうち、4本の刃を持つ鍬のことをいう。刃先が角形で細く、比較的軽いうえに刃に土が付きにくいため、田畑の耕起用の鍬として多用された。寄贈者によると、荒起こしした田んぼの土が山になったのを崩して均一にするときによく使っていたという。

平鍬
収集地域:正院／制作:不明

　鍬先がすべて鉄製の平らな鍬のことをいう。金鍬とも呼ばれる。この平鍬は刃先が角形であるため、畑で使われた平鍬とみられる。刃先が丸い平鍬は水田において畦塗りなどに使われた。これらの平鍬の普及により風呂鍬の製造は減り、今ではほとんど使われなくなった。

（上）スズ・シアター・ミュージアムの裏手より、谷あいから海際まで迫る大谷集落の農地を望む。（中）若山エリアの棚田。（下）はさ木で稲を乾かす昔ながらの農村の光景。撮影：南条嘉毅（上）、岡村喜知郎（中、下）

浮子<ruby>浮<rt>う</rt></ruby><ruby>子<rt>き</rt></ruby>

　浮子は、漁網や延縄、釣糸などに付ける目印や浮力を与える道具として使われてきた漁具である。その形状や素材は用途によって様々で、時代によっても変化してきた。近年では木製やガラス製のものに代えて合成樹脂性の浮玉や発泡スチロールを使う様子が見られる。

網端木　　　　　　　収集地域：大谷／制作：不明

　地引網や刺網漁の際に、網が沈まないように網の上端に付けて使用した木製の浮子。水に浮きやすいキリやヌルデ、スギの木が素材としてよく使われた。現在は合成樹脂製のものが一般的に使われている。

浮樽　　　　　　　　収集地域：直／制作：不明

　両面に蓋が付いた樽形の浮子。海女が潜水作業中に休憩したり袋を吊るしたりして使ったのも浮樽であるが、この浮樽は地引網の中心に目印として付けて使用されたものである。ヤマシチ（七に八）の焼き印が付いており、寄贈者によると、天保生まれの七助という先祖の名から付けられた印だという。

ガラスの浮玉　　　　　収集地域：直／制作：昭和後期

　漁網や延縄に付けて使用したガラス製の浮玉。大きいものでは、直径36cmのものも使われた。漁業組合が仕入れたものを買うのが一般的であった。ガラスが割れるのを防ぐために付けた紐や網は、藁や麻でできたものから化学繊維へと変化していった。昭和40〜50年代頃から合成樹脂の浮玉が主流になりガラスのものは使われなくなったが、プラスチックの浮玉よりもガラス玉のほうが水圧に強く丈夫であるとして両方の浮玉が使われることもあったという。

網を用いた漁の様子（左上、左下）と、
「大蔵ざらえ」で民家の蔵から発見されたガラスの浮玉と浮樽（中、右）。
写真提供：珠洲市（左2点）、奥能登国際芸術祭実行委員会（中、右）

能登瓦の型板

収集地域:三崎／制作:大正期

　珠洲では、近代初頭から瓦生産が開始された。明治半ばには「二度焼瓦」などの技術革新が進む一方で、法改正により屋根瓦の需要が増大したことで、産業として大きく発展していく。珠洲瓦（能登瓦）は、素焼きで約900度、本焼きでは約1200度で焼き締めた。釉薬にガラス質を含むため、独特の黒い光沢を放つ瓦になる。耐寒性や耐久性に優れた珠洲瓦は、富山から新潟、さらに東北方面の降雪地帯に流通していった。

　瓦の生産は、珠洲市の東南部の雲津、小泊、伏見、高波を中心に展開した。当初は、瓦の胎土の産地近くに多くの工場が造られたが、流通の便が考慮されて雲津付近に集中するようになった。瓦産業は、戦後から高度経済成長期にかけての建築ブームで飛躍的に需要が伸び、年間約600万枚もの瓦が生産された。その後、生産コストの上昇や他県の瓦産業との競合、海路による運搬から陸路への転換、瓦の需要の縮小などの結果、生産量は大きく落ちこみ、産業としては徐々に衰退していくことになる。

三崎エリア、雲津の瓦工場と港での積み出しの様子。1965年頃撮影。往時の隆盛をしのばせる巨大な登り窯にも能登瓦が葺かれている。写真提供:珠洲市

展示空間の民具

御膳
収集地域：珠洲市全域／制作：不明

　奥能登地域において夏から秋にかけて行われる祭りでは、その夜に家々でご馳走を出して客をもてなすのが一般的である。これをヨバレというが、多い家では50〜60人の客をもてなすこともあったという。そうした賑やかなもてなしの席に使われたのがこれらの朱塗の御膳であり、その多くは輪島でつくられたものである。形は四脚膳で、二の膳までついていることが多い。一つの膳と五つの椀がセットで、専用の木箱に入れて保管される。

　こうした御膳は結婚式などの祝事や葬式などの仏事を各家で行っていた際にも使われたため、一つの家で40〜50人分の御膳を所有していることも多く、そうでなければ集落で共用のものとして購入し使っていた。

　しかし、昭和後期の頃から次第にヨバレの簡素化が進み、祝事や仏事は家で行われなくなってきたため、こうした御膳が各家庭で使われる様子はほとんど見られなくなった。

農協テレビ
収集地域：大谷町／制作：1960年代

　八欧電機株式会社（現株式会社富士通ゼネラル）が「ゼネラル」の商標で製造していた白黒テレビ。全国でみられた傾向と同じく、珠洲市でも1964年の東京オリンピックを契機にテレビを購入する家庭が増えた。こちらのテレビもそうした経緯で購入され、その家の初めてのテレビとなったという。当時、八欧電機と提携していた農業協同組合が販売していたもので、「農協テレビ」とも呼ばれていた。

　寄贈者によると、当時珠洲市で見られた放送局はNHKとMRO（北陸放送）のみで、専ら白黒放送であったが、稀にカラーでも放送されていたという。しかし、

白黒テレビではやはり白黒でしか映らないため、カラーフィルターという青色半透明のパネルを画面に被せて放送を見ることで、カラーテレビの雰囲気を味わっていたというエピソードも聞かれた。また、放送を見ていない時にはテレビの本体を布製のカバーで覆うのが一般的であったことから、家庭の貴重品として大事に扱われていた様子がうかがえる。

扇風機
収集地域：大谷町／制作：1960年代

　当時の松下電器産業株式会社（現パナソニック株式会社）が「ナショナル」の商標で1960年から製造・販売していた25FA型の卓上扇風機である。

　寄贈者によると、この扇風機は、1975（昭和50）年頃に京都の親類の家が新しい扇風機を買うということで譲り受けたものだったという。この家にとっては初めての扇風機で、10年ほど使った。金網にリボンを付けて風に泳がせていた情景が浮かぶ、思い出深い扇風機である。

唐箕と六角田植え枠
収集地域：珠洲各地／制作：近世末〜昭和初期

　様々な高さの六角形の木組みが並ぶ。幾何学的な構成は、それ自体が一つのオブジェのようだ。これらは田植えの際、苗を一定の間隔で植えるための道具であ

る。六角田植え枠、あるいは六角回転定規ともいうが、珠洲ではコロガシと呼ばれていた。近代以後、集約的な農業が目指され、個別の田も大型化していく。水田での田植えの際、正方形の各々の角に苗を植える「正条植え」の目印として、明治期末から北陸地方を中心にコロガシが用いられるようになった。六角形にすることで回転させやすくし、この道具を転がした後を目印に苗を植えていった。田植え機械が導入されるまでの過渡期的な道具ともいえる。

　艦隊のように並んだ木造の道具は、唐箕である。唐箕は、脱穀したイネなどの穀類を実と殻、チリに分けるために用いる。唐箕は中国で開発され、近世に日本に伝わった。その後、各地で改良を重ねて利用され続け、近代になると金属製の唐箕もつくられるようになる。唐箕は上部の漏斗（台形の形の部分）に脱穀した穀物を入れ、手動の送風機から風を送りだす。重い籾はそのまま落ちて、中身の軽い籾はやや離れたところへ、それ以外の籾殻やチリなどは、遠くに飛ばされる。展示会場では正面に見える射出口のような四角い部分から、それらの不要なものが飛ばされるわけである。

機織機

収集地域：三崎／制作：1970年代

　手動織機の一種で、京都・西陣の綴れ織を織るために使われていた綴機である。珠洲では、出稼ぎに行かずに女性が現金収入を得るための職として、昭和46（1971）年以降、30〜60代の主婦の間で副業として急速に普及した。婦人会などで西陣から綴れ織の講師を呼

び、希望者は半年ほど講習を受けたのち製品となる帯の制作を行った。織機とその他必要な道具類は西陣から購入して揃えたという。

　手先の器用さが求められる仕事のため、長続きしない人もいたようであるが、家の中で家事の合間に手軽にでき、労賃も良いうえに設備費もさほどかからず、ノルマに追われることもない仕事であった。そのため昭和50年代には三崎町や蛸島町、大谷町など、合わせて181名の従事者に増えたという。平成に入る頃には職業としてはほとんどみられなくなったが、今でも自身の楽しみとして帯の作品制作を続けているという話も聞かれる。

地引網と轆轤

収集地域：直／制作：不明

　地引網は、水中の魚を囲い込んで砂浜に引き寄せて捕獲するための漁網である。構造は、1個の袋と左右対称の2個の翼状の網と2条の引網でもってつくられるのが基本である。轆轤（ロクロ）は、地引網の引網を巻き取って引っ張るための道具であり、浜辺に置いて回転部の木枠に棒を差し込んで4人がかりで回したものだという。

　寄贈者の家庭でももう何代も地引網は行われず、珠洲全体でも、1960年頃を最後に生業として地引網を行う様子はみられなくなったという。

桶と樽

収集地域：珠洲各地／制作：明治〜昭和

桶と樽は、いずれも木製の板を円柱状に並べて底をつけ、竹などのタガでしめた容器のことである。一般的に樽にはフタがあり、主に貯蔵用に用いられる。対して桶にはフタはなく水などの液体をくむための用具とされる。

展示されている大きな桶のうち、径が約1メートル半、高さが50センチほどの桶は、引桶といって塩田で海水をためるために用いられていた。深さが約1メートル半ほどの桶は、家で味噌桶に使われていたとされる。大八車の上や周囲におかれた桶や樽のなかには、酒や調味料の貯蔵用やかつての珠洲の名産であった素麺を入れた樽などがみられる。屋号や住所が記されたやや小さめの樽は、網漁に用いた浮樽である。桶や樽の修理には独特の技術が必要であり、タガを締める専門の職人もいた。定期的に町や村を訪れ、家々の用具を直して回っていた者もいた。

なお、桶と樽の板をよくみると木目が平行に並んだ柾目と中心部から曲線を描く板目の違いがみられる。板目は狂いが生じやすい反面、密閉性が高いため、酒や味噌、醤油、あるいはイシル（魚醤）などの熟成に用いられた。他方で柾目は、外見の良さや狂いの生じにくさ、適度な水分調節などの特徴をいかして桶に用いられることが多い。

大八車

収集地域：直／制作：不明

人力で引いて物を運ぶ大型の荷車である。直径1メートルの車輪二つの軸に簀の子または格子状になった車台を載せた形状が一般的で、車台の長さが八尺（約2.4メートル）のものを「大八」という。商品流通が活発になった江戸初期において江戸で使われ始めたのが最初であると言われている。

明治期以降は農道が2〜3メートル幅に整備されるようになり、都市と農村の交流が盛んになったことから、農村でも大八車などの荷車が使われるようになっていった。また、新田開発により水田のすぐ横に道が通るようになり、刈り取った稲や脱穀した籾などをすぐに道に出して荷車で家の納屋に運び入れることができるようになった。

寄贈者によると、約60年前に祖父がこの大八車を使っていた様子を覚えているそうで、刈り取った稲を載せて運ぶのに使っていた。

長持 <small>ながもち</small>

収集地域：珠洲市全域／制作：不明

衣類や寝具を収納するための家具である。上に向けて蓋を開閉する櫃形の収納箱で、近世に普及した和櫃の形態を引き継ぐ。箪笥や衣桁などとともに花嫁道具の一つとして嫁ぎ先の家に持ち込まれることが多く、珠洲でも昭和初期頃までそうした習慣がみられたようである。

近年では日常使いの衣類を長持に収納する習慣はあまりみられなくなり、使わなくなった座布団や家財道具をしまっておく物入れとして土蔵や納戸に置かれていることが多い。

民具とアートの出会い

川村清志

スズ・シアター・ミュージアム「光の方舟」は、珠洲市内に眠っていた民具や生活用具の歴史と文化を紹介しつつ、それらを資源（リソース）として制作されたアート作品を総合的に展示するミュージアムです。かつての珠洲市立西部小学校の体育館（2016年3月閉校）を全面的に改修し、珠洲の文化の保存と活用の拠点として、2021年9月より新たな歩みを始めました。

日々の生活に用いられた道具と新たに制作されたアート作品のあいだには、様々な対立軸が据えられているかにみえます。過去と現在、伝統と創造、ローカルとグローバル、集団の記憶と個人の想像力、博物館と美術館、などなど。それらの潜在的に拮抗しあう要素を、このミュージアムが抱えもっていることは間違いありません。しかし、ミュージアムが全体として目指すのは、一見、対立するかにみえる要素が、大きな時空の広がりのなかで相互に響きあい、緩やかに切り結ばれた関係を築きあげている姿を示すことにあります。

その緩やかな広がりとつながりは、能登半島が歩んできた歴史とその風、土、そして光を体現するものです。風と土は、そこに住まう人たちの社会と文化を培ってきました。土は人を育み、モノを生みだします。風は人やモノを地域にもたらし、また、送りだします。それらを包み込み、柔らかな陰影の中に鈍い輝きを放つ存在として、この「光の方舟」は未知の航海への帆をあげたのです。

本館が紹介する生活用具は、この半島が育んできた自然の恵みとそこで生きた人々の知恵の数々が刻み込まれています。同時にそれらは地域の内と外を時には海路で、時には陸路で往還したモノたちでもあります。アーティストたちによる作品は、風・土の陰影をさまざまな角度から照射します。各々の作品は、作家たちの独自の視点と技能と想像力によって、生活用具を蘇らせる試みです。衣料、食器、漁具、農具、様々な素材が選ばれ、彫金や彫塑、プロジェクション、インスタレーションといった多様な実践が付与されました。文字には還元できない人々の営みと道具の質感が、各々の作品を通して表現されています。これらの作品も、個別にまたは全体として、能登の歴史的な深度や地域的な広がりを映しだす光なのです。そして、能登の外から訪れ、埋もれていた生活用具に新たな命を吹き込み、独自の光で照らしだした彼らの営みもまた、能登半島の風・土が織りあげてきた交流の歴史の1ページです。

珠洲の内浦（富山湾側）と外浦（日本海側）の風景。
（上）内浦の海岸線。飯田の高台から、正院、蛸島方面を望む。1965年頃撮影。
（下）昭和初期の外浦の塩田。
写真提供:珠洲市（上）、乗光寺（下）

主な生活用具

大蔵ざらえでは、できるだけ蔵や家にあったものを、すべて収集することを目指した。
なかには狭義の民具に当てはまらない近代以後の生活用具も含まれる。
さまざまな収集品のなかで地域的、また、時代的な特徴を有する資料を紹介していく。
各資料ごとに、以下の項目順にデータを付与している。

①名称（現地名）　②収集場所　③材質　④実寸（H×W×D cm）
⑤使用年代　⑥用途　⑦使用作家　⑧由緒・使用方法・エピソード

収集した民具の保管場所となった大谷保育所と作業の様子

#01

① 機織機

② 三崎地区

③ 木、糸、鉄

④ 170×186×97

⑤ 昭和

⑥ 労働

⑦ 南条嘉毅

⑧ ──

#02

① 赤御膳

② 若山地区

③ 木、漆

④ 86×34.5×34.5

⑤ 明治〜大正

⑥ 食、行事・娯楽

⑦ OBI

⑧ ──

#03

① 万石通し

② 若山地区

③ 木、鉄

④ 140×39×13

⑤ ──

⑥ 農業

⑦ ──

⑧ ──

#04

① 穀物入れ

② 若山地区

③ 木、陶器

④ 59×28×28

⑤ ──

⑥ 労働

⑦ ──

⑧ ──

#05

① 角樽 (たもと)

② 若山地区

③ 木

④ 60×63×29

⑤ 昭和

⑥ 信仰・儀礼

⑦ 南条嘉毅

⑧ ──

#06

① やかん

② 若山地区

③ 鉄

④ 43×35×24

⑤ ──

⑥ 食物

⑦ 南条嘉毅

⑧ ──

#07

① 大盃

② 若山地区　　　　　③ 木、漆
④ 34×34×34　　　　⑤ ——
⑥ 食、信仰・儀礼　　　⑦ OBI
⑧ 婚礼用に用いられた

#08

① 弁当箱

② 若山地区　　　　　③ アルマイト
④ 3×12.5×9　　　　⑤ 大正〜昭和
⑥ 食　　　　　　　　⑦ OBI
⑧

#09

① アイロン

② 若山地区　　　　　③ 鉄、木
④ 17×26×10　　　　⑤ ——
⑥ 衣服、日常生活　　　⑦ 南条嘉毅
⑧ 内部に炭火を入れて底を熱し、
　　シャツなどのシワを取るのに用いた。

#10

① 焼印

② 若山地区　　　　　③ 木、糸、鉄
④ 9×42×4　　　　　⑤ ——
⑥ 労働、交通・交易　　⑦ ——
⑧ ——

#11

① 唐箕

② 正院地区

③ 木

④ 120×140×40

⑤ 明治～昭和

⑥ 農業

⑦ 南条嘉毅

⑧ ——

#12

① 唐箕

② 正院地区

③ 木、鉄

④ 117×87 ×42

⑤ 大正～昭和

⑥ 農業

⑦ 南条嘉毅

⑧ サシナミは、1913(大正2)年に愛知県で
　創業された指浪商会(現株式会社指浪製作所)
　をさす。唐箕や万力などの農業機械を
　中心に生産していた。

#13

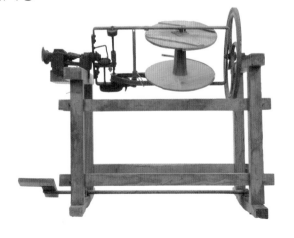

① 縄縫い機

② 正院地区

③ 木、鉄

④ 101×123×61

⑤ 昭和

⑥ 労働

⑦ 南条嘉毅

⑧ ——

#14

① スキー板セット

② 正院地区　　　　　③ 竹、木、鉄

④ 7×150×5（ストック）　8.6×158×7.5（板）

⑤ 昭和　　　　　　　⑥ 行事・娯楽

⑦ ——

⑧ ——

#15

① 籾摺機

② 正院地区　　　　　③ 鉄

④ 130×116×56　　　⑤ 昭和

⑥ 農業　　　　　　　⑦ ——

⑧ 千葉県に本社のある金子農機株式会社によって生産された。

#16

① 傘

② 大谷地区地区　　　③ 竹、紙

④ 100（径）×77　　　⑤ 昭和

⑥ 日常生活　　　　　⑦ 南条嘉毅

⑧

#17

① 釣り糸巻き

② 大谷地区　　　　　③ 木、ナイロン

④ 30×30×2.5　　　　⑤ ——

⑥ 漁業　　　　　　　⑦ ——

⑧

#18

① 湯たんぽ

② 大谷地区　③ ブリキないしはトタン、布
④ 33×23×8　⑤ 昭和
⑥ 日常生活　⑦ ──
⑧

#19

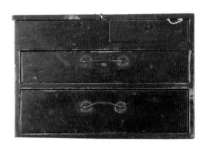

① 小物入れ

② 大谷地区　③ 木、鉄
④ 26×24.5×32　⑤
⑥ 住居、日常生活　⑦ OBI
⑧

#20

① 屏風

② 大谷地区　③ 木、紙
④ 179×53×12　⑤
⑥ 住居　⑦ OBI
⑧ 左は杜甫の絶句「江碧鳥逾白　山青花然欲」、
　右は王陽明「巖下雲萬重　洞口桃千樹」が記されている。

#21

① ビク

② 大谷地区　③ 竹
④ 25×25×19　⑤
⑥ 漁業　⑦ ──
⑧

#22

① クラ

② 大谷地区

③ 木

④ 75×113×4

⑤ ——

⑥ 労働

⑦ 橋本雅也

⑧ ——

#23

① 宝石箱

② 大谷地区

③ 木、布、銅

④ 10×13×8

⑤ 大正～昭和

⑥ 日常生活、行事・娯楽

⑦ OBI

⑧ ——

#24

① 教科書、書籍類

② 大谷地区

③ 紙

④ ——

⑤ 昭和

⑥ 日常生活

⑦ ——

⑧ ——

#25

① タライ

② 大谷地区　　　　　③ 木、鉄

④ 11×42 (径)　　　　⑤ 昭和

⑥ 日常生活　　　　　⑦ 南条嘉毅

⑧ ──

#26

① 拍子木

② 大谷地区　　　　　③ 木、竹

④ 26×15×10 (拍子木)　20×13×6.5 (竹袋)

⑤ ──　　　　　　　⑥ 行事・娯楽

⑦ OBI

⑧ ──

#27

① 座布団カバー

② 大谷地区　　　　　③ 布

④ 41×33×4　　　　　⑤ 昭和

⑥ 労働

⑦ ──

⑧ ──

#28

① だるま

② 大谷地区　　　　　③ 紙、粘土

④ 15×12×12 (大)　4.5×3.5×3.5 (小)

⑤ 昭和　　　　　　　⑥ 日常生活

⑦ ──

⑧ ──

#29

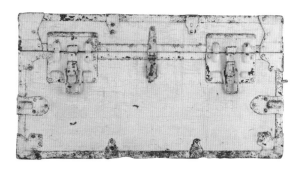

① 箱

② 大谷地区

③ 鉄

④ 40×74× 41

⑤ 昭和

⑥ 労働

⑦ 南条嘉毅

⑧ ——

#30

① 宝くじ

② 大谷地区

③ 紙

④ 7×15

⑤ 昭和

⑥ 行事・娯楽

⑦ ——

⑧ ——

#31

① 和ダンス

② 大谷地区

③ 木、鉄

④ 99.5×87.5×41

⑤ ——

⑥ 住居、日常生活

⑦ 世界土協会

⑧ ——

#32

① 和ダンス

② 大谷地区

③ 木、鉄

④ 109×89×40

⑤ 昭和

⑥ 住居、日常生活

⑦ 世界土協会

⑧ ───

#33

① 和ダンス

② 大谷地区

③ 木、鉄

④ 53×60×28

⑤ 昭和

⑥ 住居、日常生活

⑦ 竹中美幸

⑧ ───

#34

① 机

② 大谷地区

③ 木

④ 70×106×69

⑤ ───

⑥ 住居

⑦ 南条嘉毅

⑧ ───

#35

① 笠

② 大谷地区　　　　　③ 竹
④ 47(径)×12.5　　　⑤ 昭和
⑥ 衣服　　　　　　　⑦ ──
⑧ この笠は、次の上着とともに、日常使いではなく、
　　土産物として購入されたものであろう。

#36

① 上着

② 大谷地区　　　　　③ 布
④ 100×60　　　　　⑤ 昭和
⑥ 衣服　　　　　　　⑦ ──
⑧ ──

#37

① 桶

② 蛸島地区　　　　　③ 木、竹
④ 56×52(径)　　　　⑤ 昭和
⑥ 日常生活　　　　　⑦ 南条嘉毅
⑧ 魚醤(イシル)を詰めていたと考えられる。
　　そのため樽の内側には強い塩分が結晶化していた。

#38

① 桶

② 蛸島地区　　　　　③ 木、竹
④ 32.5×37(径)　　　⑤ 昭和
⑥ 日常生活　　　　　⑦ 南条嘉毅
⑧ 「大鰮二〇〇」と樽の横に書かれているところから
　　イワシを詰めていたと考えられる。

#39

① たも網

② 蛸島地区	③ 木、紐
④ 86×52×11	⑤ 昭和40～50年代
⑥ 漁業	⑦ ——
⑧ ——	

#40

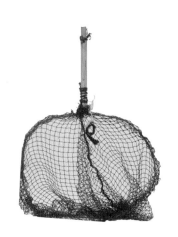

① たも網

② 蛸島地区	③ 木、紐
④ 55×40×18	⑤ 昭和40～50年代
⑥ 漁業	⑦ ——
⑧ 釣りが趣味だった話者の父親の釣り道具。	

#41

① 踏み台

② 蛸島地区	③ 木、金属
④ 47×40×30	⑤ 昭和40年代
⑥ 漁業	⑦ 久野彩子
⑧ ——	

#42

① 箱メガネ

② 蛸島地区	③ 木、金属、ガラス
④ 30×21×14	⑤ 昭和50年代(昭和50年7月製作)
⑥ 漁業	⑦ ——
⑧ ハチメ、アブラメなどの釣り用に用いられたと語られている。	

#43

① ビン

② 蛸島地区

③ ガラス、木

④ 46 × 30 (径)

⑤ 昭和40年代

⑥ 食

⑦ OBI

⑧ 酢を量り売りのために使っていた。

#44

① 茶箱

② 蛸島地区

③ 木、トタン

④ 48 × 66 × 42

⑤ 大正〜昭和

⑥ 食、日常生活

⑦ 南条嘉毅

⑧ 静岡の茶葉を問屋さんに卸してもらい、
茶箱に入れて量り売りしていた。

#45

① 茶箱

② 蛸島地区

③ 木、トタン

④ 32.5 × 29.5 × 41

⑤ 大正〜昭和

⑥ 食、日常生活

⑦ 南条嘉毅

⑧ ──────

#46

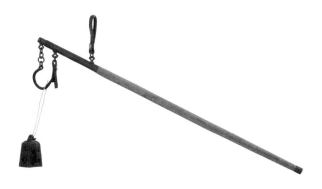

① はかり

② 蛸島地区

③ 木、金属

④ 55×2×11

⑤ 昭和40年代

⑥ 日常生活

⑦ ──

⑧ ──

#47

① 木箱

② 蛸島地区

③ 木

④ 4×22×31

⑤ 昭和40年代

⑥ 食、行事・娯楽

⑦ ──

⑧ ──

#48

① 塩看板（専売制）

② 蛸島地区

③ 鉄

④ 43×45×0.1

⑤ 昭和40年代

⑥ 交通・交易

⑦ ──

⑧ 話者の隣家が店を閉めたことで、
塩の販売を受け継ぐことになり、
この看板も譲られてきた。

#49

① 食器棚

② 蛸島地区 ③ 木、ガラス
④ 51×38×33 ⑤ 昭和40年代
⑥ 住居 ⑦ OBI
⑧ ——

#50

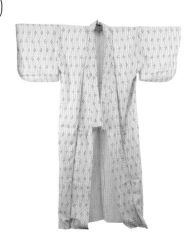

① 女性用着物

② 蛸島地区 ③ 綿
④ 144×120×0.5 ⑤ 明治～昭和
⑥ 衣服 ⑦ 大川友希
⑧ ——

#51

① 看板

② 日置地区 ③ プラスチック、木
④ 60×90×20.5 ⑤ 昭和
⑥ 交通・交易 ⑦ OBI
⑧ ——

#52

① カバン

② 日置地区 ③ 皮革、木
④ 30×47.5×17 ⑤ ——
⑥ 住居 ⑦ ——
⑧ ——

#53

① ウキタル

② 日置地区　③ 木、竹
④ 22×40×40　⑤ 明治～昭和
⑥ 漁業　⑦ 南条嘉毅
⑧ ───

#54

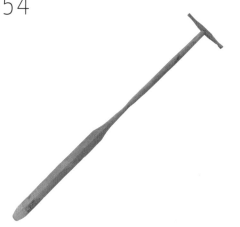

① カイ

② 日置地区　③ 木
④ 43×253×6　⑤ ───
⑥ 漁業　⑦ ───
⑧ ───

#55

① ワープロ

② 日置地区　③ 金属、プラスティック
④ 23×37×33　⑤ 1980年代
⑥ 日常生活　⑦ ───
⑧ ───

#56

① 酒樽

② 宝立地区　③ 木、ワラ、紙
④ 56×57×57　⑤ 昭和
⑥ 食　⑦ 南条嘉毅
⑧ ───

#57

① 扉

② 宝立地区	③ 木、鉄
④ 216×127×6	⑤ ——
⑥ 住居	⑦ ——
⑧	

#58

① ウキ

② 宝立地区	③ 木、鉄
④ 15×15×15	⑤ ——
⑥ 漁業	⑦ 竹中美幸
⑧	

#59

① コロガシ

② 飯田地区	③ 木、金属
④ 41×227×41	⑤ 昭和40年代
⑥ 農業	⑦ 久野彩子
⑧	

#60

① ビン

② 飯田地区	③ ガラス
④ 37×21(径)	⑤ ——
⑥ 食	⑦ ——
⑧	

家と暮らしの記憶 「大蔵ざらえ」聞き取り調査

モノには人々の記憶が刻まれている。
モノを通して人は自分たちが経験し、見聞きした過去の営みを呼び起こす。
ここでは、大蔵ざらえに協力いただいた家々の聞き取りの一端を整理してみた。
珠洲各地の農家や漁師、あるいは町場の暮らしについて紹介していきたい。

（上）寺家の舟小屋群と（下）港町・蛸島の民家　撮影:岡村喜知郎

海辺の農家——田畑の耕作とその他の生業

[宝立町南黒丸　角谷正儀さん・愛子さん]　▶聞き取り調査日：2020年11月14日

川邊咲子

　角谷さんのお家は、海と丘陵地に挟まれた宝立町南黒丸にある。この集落では、海岸線に沿って伸びる道路の両側に家々が連なっており、通りからは海が見えないが、家の裏に回れば穏やかな内浦の景色が広がる。道路を挟んで海と反対側の地域は水田や畑の耕作地となっており、その先には緑豊かな丘陵地が続いている。こうした土地で角谷家が営んできた生業は、葉タバコやカボチャの栽培、稲作などの農業に限らず、養蚕、製塩、そして出稼ぎと、多岐にわたるものであった。ここに記すのは、里山と里海の豊かな恵みを受けながら、工夫を重ね、助け合って生活を支えてきた家族の軌跡である。

角谷家での調査風景

先祖の記憶

　正儀さんは現在91歳であるが、その曽祖父の稲次郎さんは北前船の船乗りだった。正儀さんによると、稲次郎さんの頃の北前船は、能登からは塩と米を運び、北海道からはニシンと昆布を運んでおり、コンパスがなかったため星を頼りに航海していたという。当時使われていた舟箪笥やキセルが、今も角谷家に残っている。

　正儀さんの祖父、長四郎さんは、日露戦争時に金沢の第九師団に入隊し旅順に出兵した。戦争から戻ってからは当時飯田にあった塩の専売公社に勤め、帳面付けの仕事に従

事した。間違ったことの嫌いな厳しいお祖父さんだったという。

主要生業：養蚕、製塩、葉タバコ・カボチャ栽培、稲作

　正儀さんの父、一雄さんの代になると1920〜30年代頃に10年間ほど養蚕を営んだ。正儀さんの子供の頃は、この地域の家ではほとんど養蚕をしており、まわりの畑の多くが桑畑だったという。正儀さんは、小学生だった頃に蚕を餌にして魚釣りをしていたことを覚えている。当時は海が頻繁にしけたそうで、竹竿に糸を垂らし針金の針に蚕をつけて磯に投げると、カワダイ（クロダイ）がよく釣れた。

　1930〜40年代頃には、製塩業を10年間ほど営んだ。当時は海から陸までの距離が今よりも長く、南黒丸でも揚浜式の塩田が多くみられた。角谷家の裏の浜にも塩田がつくられ、正儀さんは18〜19歳の時に塩田での作業をよく手伝ったそうである。製塩の仕事は、朝3時半に起きて行われた。6尺くらいの長い板に竹の釘を2cm間隔で刺して作った道具を引っ張って、砂を三角型にする。そこに海から大きな桶で運んできた塩水をかけた。この塩水を運ぶのが大変だったという。10時頃には、もう一回塩水をかける。そうすると塩分が浮いて乾いてパリパリになる。それをコマザラエという道具で集めて、濾す容器の中に入れる。そこにフコケ（引桶、ヒコケ、シコケのこと）という直径2mほどもある大きい桶に溜めた塩水を汲んで入れて濾す。浜の水の塩度は約1.5〜2度だが、濾した後は18度までになった。それを8尺ほどの窯に入れて昼夜2日間炊いた。塩を取り出した後のにがりは保管しておいて、家で豆腐を作るときに薄めて使った。

　できた塩は専売公社に出荷していた。1週間に一回くらい生産量を計上して提出しなければならず、さらに余分に塩を隠していないか公社の職員が検査にきた。

　1942年に愛子さんが角谷家に嫁いだ後も、しばらく製塩業は続けられた。愛子さんが塩田に出て作業することはなかったが、塩を炊くための薪を取りに山に行ってセナガチ

かつてタバコの葉の乾燥に使っていた小屋

で運ぶ仕事が日課だった。

1940年代頃になると、葉タバコの栽培が盛んになった。角谷家もその頃に葉タバコ栽培を始め、10年間ほど続けた。角谷家のタバコ畑は近くの山を登ったところにあったが、能登町の恋路地区にも畑を借りて葉タバコを栽培した。正儀さんは、講習を受けてから栽培を始めたが、当初はなかなか上手くいかず大量につくれなかった。やがて家の裏に20尺（約6m）の高さの乾燥所を建てて、そこで葉タバコの乾燥を行うまでになった。薪や石炭で火を焚き、5日〜1週間ほど乾燥させた。乾燥のために葉タバコを吊るす際は、最初の5年ほどは、約2mの縄に竹の竿を両側につけて横に張って、縄の弱く撚ったところにタバコの茎を挟んで吊るす方法をとった。その後、2mほどの板に釘を打って、そこにタバコの茎を刺すようにして吊るす方法に変え、数年間はそれを続けた。またその後には、金属の竿に刺して吊るす方法に変えるなど、改良を重ねていった。

当時は鵜飼、正院、飯田にタバコの専売公社があり、葉タバコはそこに出荷していた。葉タバコの運搬は、運送会社に頼んでトラックで専売公社まで運んでもらっていたという。

角谷家が葉タバコ栽培を始めて5〜6年すると、まわりの農家のタバコ畑の面積も増えてきた。かつて一面桑畑だったのが、空いた畑も全部タバコ畑になった。そのなかでも、角谷家の葉タバコはいいものができた。タバコの品質は1〜5等級まであり、1〜3等くらいでないとよい値は付けられなかった。角谷家の葉タバコが品評会で1等をとった時には、約40袋（1袋10kg）の葉タバコが30万円くらいで売れたという。

その後、正儀さんは専売公社から70万円のタバコ乾燥機を買ったが、3年ほどで葉タバコ栽培をやめてしまい、乾燥機は他の人に譲った。歳をとるとタバコ栽培は大変なので、周りの農家もみんなやめていった。今でも角谷家の乾燥所は母屋の裏に建ったままだが、老朽化が激しく壁には穴が開いており、愛子さんは台風が来るたびに倒れないか心配だと話す。

葉タバコ栽培を引退すると、正儀さんと愛子さんはカボチャ栽培を始め、これも10年ほど続けたという。当時は葉タバコからカボチャに切り替える農家が多く、愛子さんによると、カボチャは流行りの野菜だった。カボチャの芽出しの際には、堆肥と泥を混ぜて篩にかけ細かくしたものを育苗用の連結ポットに入れ、種を植えていた。その時の堆肥は、稲わらと米ぬか等を混ぜて積み、発酵させてつくっていた。

角谷家では稲作も代々行っており、多い時には2町歩ほどの田んぼを耕作していたが、耕地整理後は引退し、田んぼは人に貸している。米の乾燥機などの機械類はほとんど手放し、トラクターも2020年の春まで持っていたが、欲しいと言う人がいたのでゆずった。

耕地整理後は三反の広い田んぼになったが、その前は八畝田んぼ（約800平方メートル）であった。それでも田植えのためにコロガシで線を付けるときは、糸を張ってそれに沿って転がさないとわからなくなってしまうくらいの広さであった。正儀さんは、当時コロガシを転がすのは朝早い時間で、水の冷たさで足が真っ赤になったことを覚えている。収穫した稲も三輪車が出てくるまではセナガチで背負って何往復もして運んでいた。このように、特に正儀さんたちの親世代までは稲作は大変苦労したという。

副次的生業：出稼ぎ、桶づくり、キノコ採り

一雄さんと正儀さんは、冬場になると出稼ぎに出て、杜氏として造り酒屋で働いた。滋賀県の造り酒屋には10年ほど行っていたという。愛子さんも30代の頃は、11月〜3月の間名古屋の「かに道楽」に出稼ぎに行き、約10年間続けたという。飯田の縫製会社にも10年勤めた。愛子さんは、2人の子供たちの世話をほとんど祖父母がしてくれたため、働くことができたと話す。

また、正儀さんは、人に習って桶をつくることができたため、家で使う桶などは自分で作って使っていた。高下駄

耕地から南黒丸の家並みごしに海を望む　撮影：岡村喜知郎

の歯入れなどもしていた。25〜26歳くらいのときから数年間は、他の家に頼まれて、葬儀用の棺桶（座棺）もよくつくっていたという。プラスチックの容器や長方形の棺桶が主流になると、もう桶をつくる必要がなくなった。

　正儀さんや愛子さんは薪として使うための柴を取りによく山へ入っていた。柴が刈られ手入れがされた山ではマツタケがたくさん採れたので、竹籠をマツタケでいっぱいにして背負って帰ることがよくあったという。しかし当時はそうした山ではどこでもマツタケが採れたので、ほとんどお金にならなかった。正儀さんは、子供の時にマツタケを食べ過ぎたため、今は食べたくない、見たくもないと言うほどである。他にも、9〜10月頃は山でマツタケ、ズベリ（フウセンタケの仲間）、シバタケ（アミタケ）、サマツ（モミタケ）、カラサマ、シメジなどを採った。

これまでの生業を振り返って

　正儀さんと愛子さんは、昔は何をするにも苦労して大変だったと振り返る。特に二人の親世代までは機械などほとんどなく、田畑を耕作するにも薪や稲を運ぶにも、今では考えられないほどの苦労をしたという。しかし、愛子さんは、昭和、平成、令和と生きてきて、良い時代に生まれた

なぁと喜んでいると話す。戦争も終戦も経験することができ、辛い時代もその後の変化も全て味わってきた。そうした記憶が、苦楽を共にしてきた農具や生活用具を見ると思い出されるようで、マツタケでいっぱいにして背負った竹籠や、田んぼの荒起こしの時に腰に巻いた前垂れを見つめ、懐かしいと笑みを浮かべる二人である。それらの古い道具類は長らく使われることはなかったが、愛子さんは、捨てるのももったいないと残しておいたという。今回、芸術祭で引き取ってもらえて、あぁよかったなと思っていると話してくれた。

里海での漁と暮らし

[三崎町寺家　坂口捷一さん] ▶ 聞き取り調査日：2020年11月14日

川村清志

崖の上の漁師

　坂口捷一さんにお会いする前に伺った「崖の上の漁師」という紹介は、やや細い街道筋に隣接するご自宅を訪れても、あまりピンとこなかった。なるほど、と納得したのは、上野の集落から急な坂道を下り、船小屋の並ぶ上野の浜に降り立った時である。船小屋の背後には切り立った崖に木々が繁る。上野の集落の多くが、この海岸段丘の上に位置するわけだ。

上野の浜の漁師小屋でのインタビュー

　坂口家は、寺家の上野の集落にある。寺家は珠洲市の東北部、三崎町に属する。戸数は約150軒、上野を含めた四つの集落に分かれている。

　坂口家は、祖父の才一さんの代から上野で漁師を生業としてきた。父の作太郎さんが家計を支えていた昭和30年代の初め頃までは、刺し網漁でイワシがよく取れた。1943（昭和18）年に生まれた捷一さんは、中学校を卒業すると、作太郎さんとともに船に乗り、田畑を耕す半農半漁の生活を送ることになる。しかし、昭和30年代の半ば頃、イワシがとれなくなる。以後は、多様な魚種を対象として漁を続けることになる。

　中学校卒業後には、冬季の杜氏の出稼ぎにもでた。その頃、能登杜氏と呼ばれる人たちが多くいたが、関西の大き

な酒蔵に入ることはあまりなかった。兵庫県の灘は丹波杜氏が多く、京都の伏見は福井の杜氏が多かった。能登からは滋賀や愛知の小さな酒蔵に行くことが多かった。捷一さんは、最初、滋賀の多賀町の酒蔵に入ったが、数年後には、伏見の酒蔵で杜氏を務めることになる。

様々な漁法

　捷一さんにとって最初の船は、1959（昭和34）年に購入した1トンの木造船である。屋号をとって又三郎丸と名づけた。32歳の時に、3トンの中古船を購入し、昇漁丸と名づけた。この頃は、3月から4月までは磯場でワカメを刈り、5月から6月はブリの引き釣り、6月になりミズクラゲが回遊しだすと、カワハギの仲間を対象としたバクチ漁を、盆が終わる頃まで行っていた。

　ワカメは、春先の茎が柔らかい間に刈った。刈ったワカメは、崖の上までカゴに入れて運び、畑のそばで干した。この作業は現在まで続いている。この辺りでは冬季にブリは上がらないため、春の漁だった。ブリの引き釣りは、船から潜航板をつけた糸を沈め、その糸に15から20ほどの仕掛けをつけてトローリングする。ブリがかかる仕掛けの深さをみきわめて、潜航版の高さを調節していた。バクチ漁はミズクラゲを餌にする。径2メートルほどの上下二段の筒状網の中心にミズクラゲを入れておくとカワハギが集まってくる。網を上にあげるとカワハギは下に逃げるので自分から網に入ることになる。餌のクラゲには越前クラゲを使うこともあった。バクチ漁の名前の由来は、カワハギという魚が、文字通り皮を剥いで丸裸にできるからである。地元ではバクとも呼んでいた。

　太刀魚を狙った延縄も行っていた。延縄は幹となる縄に多数の枝縄をつけてその先に針をつけて魚を釣る漁法である。延縄には一定の間隔でウキをつける一方で、重りも入れていた。太刀魚の延縄では、60メートルの縄に約40本の針をつけて、30メートル間隔にウキをつける。この縄を50本、多いときには100本もの縄を用いた。延縄の餌に使う

坂口家での調査風景

サバは冷凍されたものを刺身のように切って使った。

　35歳の時、FRP製の5トンの船を購入する（FRPは炭素繊維やガラス繊維を入れて強化したプラスティック素材）。長男が小学六年生になった頃である。第二昇漁丸と名づけたこの船を購入してからは、底引き網漁を周年で行うことになり、杜氏の出稼ぎに行くことはなくなった。底引き網は9月から翌年の6月までが漁期だった。主に狙うのはズワイガニである。年によってはハタハタやカレイが大漁のこともあった。形の小さなホッケが網にかかることもあったが、当時は値がつかないため、すべて捨てていたという。

　漁の一方で上野の谷合の水田で稲をつくっていた。小さな棚田を10枚から15枚もつくっていた。かなり急勾配だが、機械を入れて耕作していた。後に水田の整備も行って耕し続けることになる。家の周りの畑では自家消費の作物を育てた。

漁具と現在の暮らし

　捷一さんは、2020（令和2）年で77歳になる。65歳の時に5トンの船を手放し、底引きなどの漁はしていない。現在は、1トンのFRP船を使った磯漁に戻った。1980（昭和55）年に狼煙にある造船所で造ってもらった船である。冬場は海藻のカジメやアオサ、春先はワカメ、5月中旬から8月にかけてはモズクをとることが多い。夏場には刺し網や箱メガネで海底を見ての浅寄り漁でサザエもねらう。田仕事は、夫婦二人では大変なため、数年前にやめてしまった。

　大蔵ざらえで坂口家から寄贈された用具の多くは、漁労に関わるものである。ガラス製のウキや船の櫂や舵、魚介類を運んだ大小のカゴ類もある。他方で農作業に用いたセナガチかつてモチをついた臼もいただいた。餅つきは、1月よりも2月の方が多くついた。月遅れの正月のためについていたようである。保存用のカキモチもよく作った。

　これらの道具は、地元で作られたものもあれば、他所から購入したものもある。オケは集落内の上村家が作っていた。今も家はあるが、製造はかなり前に終えている。ワカメを刈るカマも寺家の鉄工所で作られており、磯での作業のために独特の形状をしていた。魚介類の運搬用のカゴや延縄の仕掛けを入れる延縄カゴも珠洲市内の野々江町に注文していた。ガラス製のウキは、寺家の漁協に注文した。漁網やテグスなども同様であった。その意味で、坂口さんが用いた道具は、狭い意味での「民具」ではない。身近な素材を用いて、自分が使うために製作した道具類には限定されない。

　ただ、それらの多くは、珠洲とその周辺地域の職人によって、各々の用途に合わせて作られたものである。その意味では地域の環境に適応した道具である。また、これらの道具類は実際の作業に合わせて坂口さん自身がカスタマイズすることも多かった。

　例えば、太刀魚の延縄漁では、オモリ用の天然の石とウキを仕掛けにつけていた。オモリとウキを交互につけることで、仕掛けに高低差ができるので、深さの異なる層にいるタチウオを狙うことができた。近年の磯漁では、安価な市販品を加工することもある。夏場のモズク漁では、100円均一の店で買ったヘアブラシを三つ並べて竹の棒に固定している。モズク（藻着く）は文字通り大きな藻類に付着する。比較的柔らかなブラシの先でも引っかけて取ることができる。漁獲する対象の性質や漁場の特質に合わせて、道具も修正されるわけである。

　坂口さんの半生からは、奥能登で暮らすための知恵と戦略が垣間みえる。漁では、時々の自然環境や社会のニーズに合わせて、漁法や対象となる魚種をかえてきた。漁業と農業を兼業することで、里海と里山の恵みを生かしてきた。地元での生業が限定される時期には、都市部での杜氏の出稼ぎにも通っていた。地域とともに、さらには地域を超えたネットワークが、半世紀を超える生活の営みに刻まれている。

港町の商店——船員たちが集う店

[蛸島町　掛下雅子さん・河合淳子さん]　▶聞き取り調査日：2020年9月15日

川邊咲子

　雅子さんと淳子さんは、珠洲市蛸島町の商店を営む中谷家で生まれ育った姉妹である。高校を卒業してからは二人とも珠洲を出て県内の別の町に住んでいるが、子供の頃の蛸島町の様子や商店を営んでいた家族の思い出を語ってくれた。古くから能登・内浦地域の漁業と流通の拠点港として栄えてきた蛸島漁港は、1951（昭和26）年以降、第3種漁港（利用範囲が全国的であり、水産業の振興のために特に重要であるとされる漁港）として整備され、北は北海道、南は九州からの漁船によって利用されてきた。そうした港の繁栄とともに町の商業も栄え、昭和30〜40年代頃には「蛸島銀座」と呼ばれるほどの賑わいであったという。

かつての面影を残す蛸島の町並み

本仲町通りの賑わい

　雅子さんと淳子さんの祖父は早くに他界し、父の三郎さんは学校の教員として勤めに出ていたため、中谷商店は祖母の志ささんと母のふみさんにより切り盛りされていた。昭和30、40年代当時の店では、日本酒、ビール、ウイスキー等の酒類に加え、野菜などの生鮮食品、お茶などの乾物、酢などの調味料も販売していた。専売のものは売っていなかったが、昭和40年代に隣の商店が塩の販売を辞めてからその看板を引き継いだ。当時の本仲町通りには他にも様々な商店が並んでおり、米屋、豆腐屋、味噌屋、酒屋、電気

屋、タバコ屋、薬屋、床屋、パーマ屋、下駄屋、銭湯、銀行の他に映画館やパチンコ屋などの娯楽施設もあった。雅子さんたちの世代はベビーブームで子供も多く、食料品もよく売れ、商店にも活気があり、街は賑わっていたという。

　中谷商店は、商品を売るだけでなく、買った飲み物等をその場で飲んでくつろぐ場所でもあった。雅子さんによると、銭湯の高砂湯に行った帰りに中谷商店でコーヒー牛乳などを買う人が多く、座って飲めるように店先には涼み台が置いてあった。そこで涼みつつ飲んでから帰る人が多かったという。また、店内には酒を飲むための木のテーブルが置いてあり、店にも土間にも囲炉裏の周りにも酒飲みの人が大勢入って飲んでいる、そうした光景を雅子さんと淳子さんはよく目にしていた。それらの客のため、志ささんとふみさんがスルメを焼いたり酒を温めるための湯を沸かしたりといった世話もしていた。特に港に船が入った日には、漁師たちが朝まで酒を飲み明かすことも少なくなかったようである。

漁船で潤う港町

　蛸島漁港に寄港する漁船は石川県の船だけでなく、特に昭和30〜50年代頃は、北海道のイカ釣り船団や、長崎県の沖ノ島や五島列島のサバ釣り船団で賑わっていた。淳子さんは、当時の漁業会社の濱田漁業が何億円もの立派な漁船をつくった話を聞いたのを覚えている。淳子さんが小学校の時は鼓笛隊のパレードに参加し紙テープでそうした船を見送ったという。

　そうした遠洋漁業の船団のなかでも、広島県の百島出身のサバ釣り船団の船長は、中谷商店の二階の部屋を間借りして奥さんを住まわせ、寄港のたびに帰ってきてそこで過ごしていたという。夜中でも船が寄港すると、奥さんが港まで迎えに行き、近所の人々を呼び、水揚げされた魚の選別作業（ナマダテと呼んでいた）をみんなで行った。蛸島の人々にとっても良い収入源になっていたという。そうした折には、町の商店は船に補給する物資の提供に精を出した。

蛸島の氏神、高倉彦神社

タバコ屋も「タバコ何ケース！」と走り回り、醤油や味噌などもあるものはほとんど売れた。同じ通りに位置する高砂湯も常時は夜10時までの営業のところ、船が入ってくると店を開けて船員が一斉に風呂に入った。船の寄港がこの町を一気に活気づけ、そのおかげで経済が潤っていたのである。

中谷商店も、漁船が寄港した際には、食品と酒の積み込みのため港への配達を行った。サバ釣り漁船は夜中に港に入ってきても、まだ沖にサバがいるとわかると一晩も待たずに朝早く出ていくことがあったため、その3〜4時間の間に物資を積み込む作業を行ったという。雅子さんは、船員が夜中でも店にやってきてドンドンと戸を叩いたのを覚えている。そうしたときには、店にあるほとんどすべての野菜や調味料、酒類を運び出し、特にビールはケースごと船に配達して積みに行った。戻されるケースは全部空っぽになって返ってきた。そうした商品は全部ツケで取引しており、帳面に記録をして、1か月に一度支払われていた。

船員が慕うふみ母ちゃん

船団が次の出港までの間1〜2日蛸島に滞在するとなると、中谷商店は夜中でも人が入って大変な賑わいだった。あまりにも毎日酒飲みばかりが店にたまっているので、そうした状況を嫌った三郎さんは、職場の学校から帰宅後、部屋の戸の裏で箒をさかさまに立て手拭いをかけ、早く帰れ帰れと呪いをしていたことを、雅子さんも淳子さんも覚えている。しかしふみさんは、船員たちは船の上で何日も波に揺られたあとに陸に上がると安心することを知っていたため、酒を飲むだけじゃなくて寝なさい、休みなさいと言って仏間などにごろ寝させていたという。中谷商店は、そうした開放的な休憩所にもなっていた。

漁師たちは、中谷商店で一晩飲んで次の日には飯田に行ったりもしていた。飯田のバーにはタクシーで行ったため、ふみさんがタクシーを手配してあげていた。漁師はお金があると羽振りが良く、雅子さんら子供たちもタクシーに乗

せて連れて行き、飯田の寿司屋から桶の寿司を買い、それを持たせてタクシーで帰してくれたこともあった。お金を全部使ってしまうと、今度はふみさんに「タバコ一つ買いたいんやけど200円貸してくれ」と頼み、ふみさんはお金なけりゃかわいそうと貸してあげた。給料が入ればきちんと返すという信頼の上にこそ成り立つ関係であった。一方でトラブルも少なくはなかった。借金を1年間返さなかった人に返済を催促したところ、船から包丁を持って来て脅されそうになったこともあった。しかし、ふみさんは慣れたもので怖い目に遭っても動じることはなかったという。

船員のなかには中学校を卒業してすぐに漁師になった未成年の若者も多かった。船団に入れば一人前の漁師として酒も飲めばタバコも吸っていたが、なかには大人に反発したり喧嘩や暴力沙汰を起こしたりする者もいたようである。ふみさんは、そうした若い漁師たちにとっては母親代わりの存在で、「飲んでばっかではだめや」と叱ったり、「少し貯金でもしとけ」と指導したりしていたという。船同士や仲間同士の喧嘩で警察が調べに来ることもあり、ふみさんが「あの子らはいい子たちで喧嘩してもまた仲直りしとる」と釈明することもあった。若い漁師のなかには蛸島の女性と結婚する人も多くいたそうだが、ふみさんはそうした縁組の仲立ちもしてあげた。そんなふみさんを慕って、五頭列島の漁師たちが蛸島に来るたびに「母ちゃん、今日はお土産ある」と言って土産を持ってきた。特に、船の上での時間つぶしに船員たちが作る瓶に入った宝船はよく土産として持ってきてくれたという。たくさんもらったが、一つだけ大事な宝だと言って父の三郎さんが残しておいたものが今でも残っている。また、結婚して子供ができたからとふみさんに見せにきた船員もいた。

中谷商店は、こうした人と人との触れ合いがあったからこそ長く続いたのだと、雅子さんと淳子さんは振り返る。港町としての人との触れ合いの歴史は、外から来た人を温かく迎え入れる珠洲の人々の心に今でも深く根付いているものである。

スズ・シアター・ミュージアムの試み

歴史学・民俗学・文化人類学の視点から

大蔵ざらえによって集められたモノと
それらが展示されるスズ・シアター・ミュージアムは、
地域が育んできた文化といかにして切り結ばれるのだろうか。
大蔵ざらえの可能性は、その試みが孕む課題と同じくらい大きい。
歴史学や民俗学、文化人類学の視点から、
大蔵ざらえの可能性と課題について読みといていく。

昭和初期に撮影された珠洲の風景　写真提供：珠洲市（上）、乗光寺（下2点）

「珠洲の大蔵ざらえ」プロジェクトにおける
民具資料の"緩やかな保存"の可能性と展望

川邊咲子

　日本において「民具」と呼ばれるもの、特に、地域の生活文化である衣食住、生産・生業、交通・通信、信仰・儀礼等に関わる道具類は、地域の歴史や文化を後世に伝える資料として収集・保存されてきた。その背景には、1954年の文化財保護法の改正時に「民俗資料」が独立した区分として保護対象に加えられたことや（1975年の法改正以降は「民俗文化財」）、1960年代以降建設ラッシュとなった県市町村立博物館の資料として民具がこぞって収集・保存の対象とされたことが挙げられる。

　しかし、そうして収集・保存されてきた民具が、今再び消滅の危機に瀕している。日本博物館協会が発表した「令和元年度 日本の博物館総合調査報告書」（令和2年9月）によると、アンケート調査において、「資料を良好な状態で保存することが難しくなっている」という問題・課題に対し、民具資料を多く保持している郷土系博物館の75.8%（248館）が「すごく当てはまる」または「まあ当てはまる」と答えている。これは、博物館全体の57%、歴史系博物館の59.1%と比べても、かなり多い割合である。また、私はこれまでに能登地域の地域民具コレクションの現状について調べてきたが、4市5町の自治体すべてが一定数の民具コレクションを所有しているにもかかわらず、そのほとんどが人の目に触れず廃校舎などに死蔵されている現状である。こうした地域民具コレクションを、私たちはこれからどのように保存・活用し未来に繋げていけばよいのか。これは日本各地の民具コレクションの現場で叫ばれている喫緊の課題である。

　こうした課題の解決に向け必要となるのが、資料保存の方法の見直しである。これまで民具は、他の歴史文化資料と同様、博物館などの専門施設において温湿度管理などが施された環境で収蔵・展示され、資料の価値や状態が未来永劫維持されることが原則とされてきた。しかし、そうした博物館学的保存を自治体単位で行うことは、昨今の自治体の資料保存体制の縮小、人員・設備不足といった状況下では難しい。さらには、これまでの民具の保存・展示方法では、民具を通して生活の知恵や技術、人々が生きてきた歴史を後世に伝え、地域社会の発展に生かしていくという目的が十分達成できていない。

　そこで新たな資料保存の方法として考えられるのが、地域の文脈の中で民具の多様な価値を見出し、資料の状態変化を認めつつ活用・継承を行う「緩やかな保存」である。これまでの博物館学的保存は博物館などの専門施設で研究者や学芸員などの専門家によって行われてきたが、緩やかな保存は、生活の中で使われてきた道具であるという民具の特徴を生かし、地域の様々なアクターを巻き込んで行う資料保存である。

　今回の「珠洲の大蔵ざらえ」プロジェクトは、この緩やかな保存の先駆的事例である。その取り組みは、地域の家々から収集された民具を見つめ直し、新たな解釈や価値づけを行いながら未来に繋いでいくことを目的としている。古いものに新しい価値を付けて骨董屋で売ったり芸術作品を制作したりする例はこれまでも見られたが、物の外面的な特徴だけでなく、その物がつくられ使われた文脈や記憶、思い出、人々の語りについても重要な民具の要素として扱うことが、このプロジェクトの注目されるべき点である。そのため、このプロジェクトでは、民具そのものだけでなく、民具についての思い出や記憶も聞き取ってまとめてい

「大蔵ざらえ」の聞き取り調査

る。また、そうしたデータや情報と民具が結びつくように、すべての民具に番号のタグをつけて管理している。まとめたデータや情報は、作家に伝えてアート制作の参考にしてもらう他、データベース化して公開することで、市民の地域に関する学びのための資料にもなると考えている。

　また、この大蔵ざらえプロジェクトは今回の展示で終結するのではなく、収集された民具や情報は、今後のスズ・シアター・ミュージアムでの活動やその他の芸術祭関連の活動において活用されることが可能である。また、民具の新しい価値や生活の中で再び使う方法を考える市民向けワークショップや、物と情報を一緒に継承してもらうための民具の譲渡会を行うこともできる。

　こうした取り組みによって、民具を保存・継承する活動に、自治体や博物館等だけでなく、地域の様々な場で、地域住民やアート作家など地域に関わる多様な人が参加することができる。民具に関わる人を増やすことで、民具にまつわるストーリーが増えていき、また新たな価値が生まれる。このように地域における様々な人や場の関わりの中で緩やかに民具を保存・継承していくことは、過去から受け継がれた物と記憶を様々な視点から見つめ直すことであり、そこから私たちは、今・これからの自分たち、生活、地域社会について考え、未来をつくっていくことができるのである。

地域の資料を守り伝えるために
──珠洲の取り組みを見つめる

天野真志

地域資料の「レスキュー」

　自然災害が多発する近年、古文書や民具、美術品などを地域資料として災害から救出し、地域に残された多様な歴史文化を守り伝える取り組みが全国各地で実施されている。大規模な自然災害が発生して地域の生活基盤が破壊されると、地域は被災からの復旧・復興に向けて活動し、多くの場合は元通りではなく新たな生活空間へと変容していく。人々が新たな生活に対応しようとし、やがて地域が変容していくと、それまでの生活を支えた道具や蓄積された記録類は存亡の危機に直面し、それまで培った人々の営みや地域の成り立ちを知ることが叶わなくなってしまう。これらの危機を打破し、地域の履歴を後世に伝える活動として、「レスキュー」という取り組みが展開している。

　「レスキュー」という言葉からは、危機に瀕するものを救い出す行為が想像されるが、近年では災害の多発化・激甚化にともなって活動の範囲も広がっている。資料が直面する危機は多様である。滅失のリスクを危機と理解するなら、被災にともなう廃棄、津波や洪水などによる破損・劣化などが具体的な危機として想定され、これらのリスクを資料から取り除くことが求められる。つまり、災害時における資料の「レスキュー」とは、被災地域に伝来する歴史文化を物語る様々な資料を劣化や滅失の危機から救い出し、後世に伝えるための

総合的な取り組みといえる。

　また、資料を「レスキュー」することは、必ずしも災害対応のみに限定されない。地域やそこで生活する人々にとって当たり前のものであっても、時間の経過とともに地域の姿は変容し、日常の生活や出来事など地域の記憶は薄らいでいく。地域に残された様々な資料は、そうした地域の記憶を呼び起こす媒体でもあり、資料を通して地域の人々と対話することで、地域が蓄積した歴史文化像を再発見することができる。その意味では、調査をとおしてその地域の記憶を資料から見出していくことも、広い意味での「レスキュー」といえる。全国に広がる「レスキュー」、すなわち資料を保存し継承する活動は、地域を基軸に歴史文化を見つめ直し、多様な資料を守り伝える取り組みと捉えることができるだろう。

　こうした潮流を踏まえると、珠洲市における「大蔵ざらえ」は、地域の歴史文化を現在に伝える資料を見出すという、資料保存・継承の取り組みでもある。そこで発見された民具などは、珠洲市が蓄積した多様かつ膨大な歴史文化を象徴している。今後、伝来した民具に地域の情報を結びつけていくことで、人々の日常を豊かに描き出すことができるだろう。さらに民具とともに、箪笥や長持などのなかには古文書や日記など膨大な記録資料を見出すことができる。これらの資料からは、珠洲という地域が経験した様々な出来事が見えてくる。

図1　現在の若山川河口部（2020年11月14日撮影）

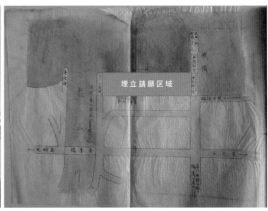

図2　若山川護岸工事の図

大蔵ざらえで確認された資料からみる珠洲

　大蔵ざらえでは、各家で生成・保管された膨大な記録資料も確認されている。例えば、とある旧家から確認された資料群のなかに、「若山川河口浚渫・港町地先海岸護岸埋立に関する請願書」と題する書類が確認される。1950（昭和25）年4月付で珠洲郡飯田町名義にて作成されたこの請願書は、戦中戦後の急速な土地開発が若山川流域の生活にいくつかの問題をもたらしたことを訴えている。その主張を詳しく見ていくと、かつてより若山川上流地域の砂防施設が不完全のため、河口付近に土砂が堆積していたが、戦時中に流域一帯の森林濫伐が行われて堆積は著しいものとなったという。そのため漁船の碇泊がままならない状況を訴えて、早急な施策を要望している。また、同じく若山川河口部に整備されたコンクリート築堤は湾内の潮流に影響を与えたようで、周辺部の海岸が浸食され始めたことを問題視している。そのため飯田町は土地確保のために海岸の埋立工事を求め、地域住民の生業維持に向けた請願を企画している。本書類を含む資料群が伝来した旧家は、戦後に飯田町政に関係した人物を輩出しており、このような戦後飯田町の繁栄に向けた請願書や協議記録を数多く伝えている。これらを紐解いていくと、現在に至る飯田町、さらには珠洲市の成り立ちを解き明かすことができるだろう。

　このような出来事は、当時としては個人の関心や問題意識であったとしても、時代を経るなかでこれらの記録はかつての地域を物語る資料として位置づけられていく。様々な記録をとおして地域の履歴を見つめ直し、現在さらには未来の地域を展望する道しるべとして継承していくことも、資料の保存・継承という取り組みが果たすべき役割である。

　大蔵ざらえは、珠洲市内が蓄積してきた多くの歴史文化像を再認識する一つの契機ともいえる。その過程で見出された民具や古文書などは、そうした歴史文化を紐解くための基礎的な情報でもあり、これらの観察を続けていくことで、新たな歴史文化像が次々と浮かび上がってくるだろう。地域の思い出や記憶を可視化する役割を果たすべく構築されるアート作品との融合は、過去の歴史経過と現在・未来とを連続的に捉える効果ももたらしうる。地域の成り立ちや日常を再発見し、過去を手がかりとして現在さらには未来を見据えようとする一連の取り組みは、大蔵ざらえを起点として展開する珠洲地域全体の歴史文化探求の営為である。この活動が永くこの地域の道しるべとなるためには、各地で見出された多様かつ膨大な資料を保存・継承することが求められる。地域を見つめ続けるこの営みが持続的に展開することを期待したい。

文化財とアートの響鳴
── スズ・シアター・ミュージアムという特異点

川村清志

博物館と美術館

文化財・遺産としての生活資料と現代のアート作品が、渾然一体となって配置される。それが、スズ・シアター・ミュージアムという 特異点（シンギュラーポイント）の大きな特徴である。

一般的に、生活資料は歴史や民俗を冠した博物館で展示され、アート作品は美術館に展示される。広義の博物館に属するとはいえ、両者はかなり異質な存在である。たとえば、絵巻物や工芸品を展示する場合、美術館は特定の作家や時代の美を体現する作品として紹介し、博物館は特定の時代や生活様式を示す資料として展示する。展示対象の位置づけ自体が根源的に異なるわけである。

スズ・シアター・ミュージアムにも生活資料と作品との間に一定の区切りはある。珠洲の歴史や地域性を示す展示室がある一方で、各々の作家たちの作品も、大まかには部屋ごとに隔てられている。しかし、展示場の至る所には、近代以前の生活用具からつい最近まで現役だった電化製品までが所狭しと並べられている。これらの生活資料とアート作品がせめぎ合い、響き合うことで露わになる文化財とアート作品との間に潜む断層の所在を辿りなおしておきたい。

民芸と民具

近代日本において、庶民の生活用具に美的な価値を見出したのは、柳宗悦である。大正の終わりから昭和初期にかけて柳は、日本各地の無名の職人によって造り出され、日々の生活の中で使用されていた品々を「民衆的工芸」と捉え、その略語として「民芸」という術語をあてた。柳をはじめとして陶芸家の河井寛次郎、濱田庄司らによって展開された民芸運動は、大正の終わりから昭和初期にかけて大きく展開していく。

彼らは、民衆たちの日々の生活のなかで練り上げられた美を民芸に見出そうとした。もっとも彼らは日常生活での有用性を強調する一方で、本来の文脈から乖離した民芸を審美的な対象として再価値化していく。民芸は近代的、都市的な生活スタイルの対抗的な要素として見出されることで、まさにそれらを補完する存在でもあった。

民芸運動とほぼ同時期に胎動したのが、渋沢敬三らによって展開された「民具」研究である。渋沢は民具という言葉を、一般の人々が日々の生活の必要に応じて製作・使用した伝承的な道具や造形物の総称として用いた。渋沢たちはこれらの民具を村に伝わる古文書と同じように、その地域や集団の歴史を辿る資料と捉えていた。できるだけ多くの民具を収集し、その名称から製作・使用の方法や手順を聞きとり、実測を行ってデータ化を進めていく。これらの作業から民具の歴史的、地域的な特質を明らかにすることで、それらを使用していた人々の生活様式や意識、価値観の変遷にまで迫ろうとしていた。民具では審美性は脇におかれ、人々の生活の場で使用され、一定の伝承性を有するモノは、すべて収集と検証の対象に位置づけられた。こうして、衣食住から生業、年中行事、通過儀礼など多様な用途に用いられた生活用具が収集されることになった。

民具から　文化財へ

　戦後の社会変化のなかで、民具の一部は「文化財」としてより包括的で体系的な収集と保存が目指されることになる。もっとも文化財と聞いて普通に思い浮かぶのは、壮麗な姫路城や法隆寺、運慶・快慶作の仏像、雪舟の水墨画や狩野派の屏風絵などである。それらは国によって国宝・重要文化財に指定されたものばかりである。

　これらの文化財は1950年に施行された文化財保護法によって指定や選択の対象となった。その後、この法律は何度も改訂されて保護する対象や内容を拡張してきた。1954年には、「重要民俗資料」というカテゴリーが確立され、1975年の改正時に、「民俗文化財」という指定対象に再統合される。民俗文化財には、祭りや民俗芸能のような無形の文化と種々の生活用具のような有形の資料に分けられ（表1参照）。

　この珠洲にも国が指定した有形民俗文化財が伝えられている。1969（昭和44）年に指定された「能登の揚浜製塩用具」である。塩田での作業に用いた用具や釜屋での製塩に用いた用具など、計166点が指定されている。珠洲の製塩具が端的に示すように、有形民俗文化財は、先の仏像彫刻や絵画作品のように一点物として価値を持っているとは限らない。むしろそれらは類、あるいは群としての価値を有する。

特異点としてのスズ・シアター・ミュージアム

　生活用具は、時には「民具」と呼ばれ保存の対象となり、時には「民芸」と呼ばれて審美的な鑑賞の対象となった。やがて、民具は民俗文化財として包括的で体系的な収集と保存が目指され、各地

[表1] 文化財保護法と民俗文化財の位置づけの変遷

1950（昭和25）年	文化財保護法成立	有形文化財の類型の一つとして位置づけ
1954（昭和29）年	重要民俗資料のカテゴリーが独立 無形の民俗資料の選択制度が成立	
1975（昭和50）年	重要有形民俗資料　　　→ 無形の民俗資料	重要有形民俗文化財の指定制度 重要無形民俗文化財の指定制度
1999（平成11）年	文化財保護登録制度の創設（指定に準じる文化財（建築物）の登録制度）	
2004（平成16）年	民俗技術を保護対象化（民俗文化財の保護対象を拡大） 有形民俗文化財にも登録制度を拡充	
2018（平成30）年	文化財保存・活用のための計画制度の創設 担い手の参画に向けた体制整備（文化財保存活用支援団体の指定制度など）	

の歴史民俗系の博物館が、その役割を担うようになっていった。これらの博物館は美的な側面よりも、不特定多数の人々の歴史や生活を記録し、想起させる資料としての側面を重視する。

それらが、西洋美術に範を仰ぐ美術館とはその出発の地点で価値観を異にしてきたことは繰り返すまでもない。そこで示されるのは突出した才能を有する個々人や特定集団によって創造された各々の時代を画する作品である。それらは他に類をみない個別の想像力によって構想され、一点一点が唯一無二の存在として価値をもつ。

しかし、今、珠洲に現れつつある博物館は、近代日本が構築し積み重ねてきた価値の断層に地殻変動をもたらし、各々の価値観を融解させようとしているかにみえる。

資料としての生活用具には、それらが表面的に示す歴史性を大きく越えでた解説を施した。他の展示物にも個別の家の記憶を記したり、展示風景に合わせた紹介も行っている。他方で、アート作品の中には、祭りや行事など、地域の人々の共記憶^{コーメモレーション}を再現し、主題化したものもある。土や素材にこだわり、それらを取り込むことで、地域の歴史的深度を作品内に投影した作品もある。民具というカテゴリーさえあっさりと凌駕した品々を並列化することで、新たな時空を提示した作家もいる。個別の作品は地域の素材やそれらに宿る記憶によって担保され、家や地域で失われつつある記憶や物語は、個々の作品へと昇華されていく。

生活資料とアートは互いに影響を与えつつ、展示の時空の中に響鳴しあっている。その試みは確かにこれまでに例をみないものである。現代日本の博物館施設の特異点と主張しても、それほど的

外れではないだろう。もちろんスズ・シアター・ミュージアムが、この時代、この場所における単独の孤立した試みとなるのか、それともヒトとモノと物語をめぐる新たな分岐点になるのかは、これからこの館に関わる人々とリソース次第である。後者への展開に微かな期待を寄せつつ、今後の推移を注意深く見届けていかねばならない。

スズ・シアター・ミュージアム「光の方舟」

[プロジェクトメンバー]

ディレクター ···································· 北川フラム

キュレーション・演出 ······················ 南条嘉毅

民俗・文化アドバイザー ···················· 川村清志（国立歴史民俗博物館）

建築改修・空間設計 ························ 山岸綾（サイクル・アーキテクツ）

音楽 ··· 阿部海太郎

特殊照明 ·· 鈴木泰人（OBI）

造形・演出サポート ························· カミイケタクヤ

映像記録 ·· 映像ワークショップ

民俗資料保存・活用アドバイザー ········· 川邊咲子（国立歴史民俗博物館）

グラフィック、商品、外構ネオンデザイン ··· KIGI

[建物改修・外構工事]

設計・監理 ····································· サイクル・アーキテクツ　山岸綾

設計・監理協力 ······························ 新出建築事務所　新出忠司

構造設計 ·· 樅建築事務所　田尾玄秀

施工 ·· 株式会社木下工務店、株式会社三百苅管工、

　　　　　　　　　　　　　　　　　　　珠洲電気工事株式会社、株式会社グリーンテック

[助成]

一般財団法人地域創造

[施設情報]

所在地　　　　　　〒927-1321　石川県珠洲市大谷町2-47（旧西部小学校）

施設管理者　　　　珠洲市

アクセス　　　　　珠洲市街から　車で20分（国道249号）

　　　　　　　　　輪島市街から　車で35分（国道249号）

　　　　　　　　　のと里山空港から　車または乗合タクシーで45分（県道57号—国道249号）

　　　　　　　　　金沢駅から　車で2時間20分（のと里山海道—県道57号—国道249号）

開館日　　　　　　「奥能登国際芸術祭2020＋」会期中［2021年9月4日—11月5日］　9：30—17：00

　　　　　　　　　「奥能登国際芸術祭2020＋」会期以降　不定期開館

問い合わせ先　　　奥能登国際芸術祭実行委員会事務局

　　　　　　　　　〒927-1214　石川県珠洲市飯田町13-120-1

　　　　　　　　　Tel. 0768-82-7720　E-mail. info@oku-noto.jp

　　　　　　　　　https://www.oku-noto.jp

世界土協会 （せかいつちきょうかい）

南条嘉毅、ジェームズ・ジャック、吉野祥太郎によるアーティストコレクティブ。特徴ある地質や歴史に焦点を当てて世界各地を調査し、作品の制作活動を展開している研究機関。

[近年の主な展覧会など]
「土のレストラン−Dirt Restaurant−」いちはらアート×ミックス2017（千葉）、2017年
「土のテイスティング」[ワークショップ]旧八女郡役所（福岡）、2017年
「土 x (IRL + URL)=?」ART FOR THOUGHT（東京）、2020年

大川友希 （おおかわ ゆき）

2012年愛知県立芸術大学彫刻専攻卒業。物に残る記憶や時間、思い出の断片を掘り下げ、繋げて、新たな時間のかたちとして再構成した立体作品やインスタレーション作品を制作。

[近年の主な展覧会など]
「アウトプットアートプット」[滞在制作]Shibamata art room project / Shibamata FU-TEN Bed and Local（東京）、2018年
「MEMORY」[滞在制作・個展]Ossam Gallery（ニューヨーク）、2018年
「Industrial Materials and Handmade Objects—もう一度だけ見えてきたもの—」[辻野裕明との二人展]Gallery MUMON（東京）、2020年

OBI （おび）

鈴木泰人（すずき やすひと）、本間智美（ほんま ともみ）、水野祐介（みずの ゆうすけ）によるアーティストコレクティブ。フィールドワークを通して身近な環境における曖昧な存在や素材にスポットを当てて、文化と社会を結ぶ様々な形態で芸術活動を行う。

[近年の主な展覧会など]
「スラスラチカチカ」六甲ミーツアート芸術散歩（兵庫）、2018年
「月潟アートプロジェクト」水と土の芸術祭2018（新潟）、2018年
「モノの語り」長岡芸術工事中（新潟）、2019年
「空家プロジェクト」白根商店街・旧飯原時計店（新潟）、2020年
「ノーナイ・サーカス」city gallery（新潟）、2021年

南条嘉毅 （なんじょう よしたか）

1977年香川県生まれ。対象の場所に赴き、その場所の特徴を現在の姿のみではなく歴史の面からも考察し、現地の土を使い複層的な絵画やインスタレーションを制作している。

[近年の主な展覧会など]
「透ける表層　漂う大地」[個展]坂出市民美術館（香川）、2019年
「一雫の海」瀬戸内国際芸術祭2019（香川）、2019年
「Roots of travel／一雫の海」アートフロントギャラリー（東京）、2019年
「椥の木の下で」[壁画]和歌山市民図書館（和歌山）、2020年

竹中美幸 （たけなか みゆき）

岐阜県生まれ。多摩美術大学大学院美術研究科修了。アクリル板やフィルムなど主に透明な素材を用いて、光や影を取り込んだ平面作品やインスタレーション作品を制作している。

[近年の主な展覧会など]
「新たな物語」アートフロントギャラリー（東京）、2018年
「都市のさざめき」[特殊照明家・市川平とのコラボレーション]PARK TOWER HALLギャラリー・1（東京）、2019年
「記憶の音」清流の国ぎふ芸術祭 Art Award IN THE CUBE 2020（岐阜）、2020年

三宅砂織 （みやけ さおり）

1975年岐阜県生まれ。フォトグラムや映像の手法を用いてイメージの起源まで遡りながら、人々のまなざしに内在する「絵画的な像」を探究している。

[近年の主な展覧会など]
「庭園 | POTSDAM」SPACE TGC（東京）、2019年
「Echo after Echo:仮の声、新しい影（MOTアニュアル2019）」東京都現代美術館（東京）、2019-2020年
「AiM vol.9 三宅砂織」[滞在制作・個展]岐阜県美術館アトリエ（岐阜）、2021年

久野彩子 （くの あやこ）

1983年東京都生まれ。東京藝術大学大学院美術研究科工芸専攻（鋳金）修了。精密な蝋の型を用いるロストワックス鋳造技法により、堅牢な金属に高密度な造形美を表現する。

[近年の主な展覧会など]
2020 ART TAICHUNG（台中）、2020年
「都市の輪郭」[二人展]日本橋高島屋美術画廊X／新宿高島屋美術画廊（東京）、2020年
「電線絵画展−小林清親から山口晃まで−」[グループ展]練馬区立美術館（東京）、2021年

橋本雅也 （はしもと まさや）

1978年岐阜県生まれ。彫刻家。手を加えることで自然物が内包していたものが表出してくる現象に興味を抱き、独学で創作活動を始める。近年は鹿の角と骨を素材とし、身近にある草花をモチーフとした作品で注目を集める。

[近年の主な展覧会など]
「5Rooms II−けはいの純度」[グループ展]神奈川県民ホールギャラリー（神奈川）、2018-2019年
「水鏡」土祭2018（栃木）、2018年
「EQUILIBRIUM」Bermel von Luxburg Gallery（ベルリン）、2020年

執筆者紹介（執筆順）

北川フラム（きたがわ ふらむ）

1946年新潟県生まれ。奥能登国際芸術祭総合ディレクター。「大地の芸術祭 越後妻有アートトリエンナーレ」「瀬戸内国際芸術祭」など各地の地域国際展のディレクションを手がける。主な著書に『美術は地域をひらく―大地の芸術祭10の思想』（現代企画室、2013年）など。

南条嘉毅 ＊アーティスト略歴を参照

川村清志（かわむら きよし）

国立歴史民俗博物館准教授。口頭伝承の近代的展開、メディアによる民俗文化の再表象過程などを主要な研究テーマとする。著書に『クリスチャン女性の生活史―「琴」が歩んだ日本の近・現代』（青弓社、2011年）、共編著に『日本と世界のくらし どこが同じ？どこがちがう？―教科書に出てくる「くらしの中の和と洋」食』（汐文社、2017年）など。

川邊咲子（かわべ さきこ）

国立歴史民俗博物館プロジェクト研究員。地域の民具コレクションについてのフィールドワークを行う。主な論文に、研究報告「なぜ人々は民具を集めるのか：能登半島とフィリピン・イフガオ州における物の来歴の研究」（2018年）、博士論文「地域生活の文脈において収集者と貢献者により形成される生活用具コレクション：石川県能登半島とフィリピン・イフガオ州にみられる収集活動と収集されたモノの機能についての研究」 など。

天野真志（あまの まさし）

国立歴史民俗博物館特任准教授。日本近世近代移行期における政治・社会史、地域歴史文化資料の災害対策などを主要な研究テーマとする。著書に『記憶が歴史資料になるとき―遠藤家文書と歴史資料保全』（蕃山房、2016年）、『幕末の学問・思想と政治運動―気吹舎の学事と周旋』（吉川弘文館、2021年）など。

スズ・シアター・ミュージアム「光の方舟」

2021年11月30日発行

著者	北川フラム、南条嘉毅、川村清志
執筆協力	川邊咲子、天野真志
編集	アートフロントギャラリー、現代企画室
ブックデザイン	吉田考宏
印刷製本	三永印刷株式会社
発行	奥能登国際芸術祭実行委員会 〒927-1214　石川県珠洲市飯田町13-120-1　info@oku-noto.jp
発売	株式会社現代企画室 〒150-0033　東京都渋谷区猿楽町29-18-A8　gendai@jca.apc.org Tel. 03-3461-5082　Fax. 03-3461-5083

ISBN978-4-7738-2110-9　C0070　Y1500E　©2021 OKU-NOTO Triennnial Executive Committee, printed in Japan
Photo credit: 木奥惠三［pp.12-47］ ＊左記以外の写真で撮影者・提供者の標記のない写真は、奥能登国際芸術祭実行委員会提供。